UNION GÉNÉRALE D'ÉDITIONS
8, rue Garancière - PARIS VIe

DU MÊME AUTEUR
Chez le même éditeur

Derrière la zizique.
Les Fourmis.
Cantilènes en gelée / Je voudrais pas crever.
L'Écume des jours.
L'Herbe rouge.
Textes et Chansons.
Et on tuera tous les affreux (Sullivan).
L'Arrache-cœur.
Chroniques du Menteur.
J'irai cracher sur vos tombes (Sullivan).
Les morts ont tous la même peau (Sullivan).
Le Loup-Garou.
Théâtre inédit: Tête de méduse, Série blême, Le Chasseur français.
Dossier de l'Affaire «J'irai cracher sur vos tombes», établi par Noël Arnaud.
Le Chevalier de Neige.
Petits Spectacles (à paraître).
Opéras (à paraître).
Trouble dans les Andains.
Cinéma Science Fiction (à paraitre)

Dans la collection 10-18

L'Automne à Pékin.
Cantilènes en gelée.
Chroniques de Jazz.
L'Écume des jours.
Elles se rendent pas compte (Sullivan).
En avant la zizique.
Et on tuera tous les affreux (Sullivan).
Je voudrais pas crever.
Les Fourmis.
Le Loup-Garou.
Textes et Chansons.
Théâtre, t. I. - t. II.
Trouble dans les Andains.

Les Vies Parallèles de Boris Vian, par Noël Arnaud.
Les Vies Posthumes de Boris Vian, par Michel Fauré.
Colloque de Cerisy de Boris Vian - t. I - t. II
Le chevalier de neige

THÉATRE
II

PAR

Boris VIAN

Textes établis

PAR

Noël ARNAUD

10|18

ISBN 2-264-00145-3

TÊTE DE MÉDUSE
(1951)

Comédie en un acte

PERSONNAGES

CLAUDE VILEBREQUIN, *soupirant puis séducteur de Lucie Bonneau.*

FRANCIS LOPEZ, *amant de Lucie.*

ANTOINE BONNEAU, *mari de Lucie.*

CHARLES, *chauffeur d'Antoine.*

Lucie BONNEAU, *épouse d'Antoine.*

ACTE UNIQUE

Le studio de Claude Vilebrequin. Des portes où il faut, un rideau vert affreux devant l'alcôve, un Picasso tranchant au mur.

SCÈNE PREMIÈRE

CLAUDE, FRANCIS.

Claude est seul et s'occupe à quelque occupation assise. Il coud, par exemple. Reprise ses chaussettes, pour être précis. On entend un vacarme affreux et cuivré en même temps que la porte s'ouvre et qu'apparaît une sorte de fantôme, individu au chef enveloppé de pansements.

CLAUDE

Maman!

FRANCIS

Du calme! C'est moi!

CLAUDE

Tu m'as flanqué une frousse! C'est formidable. Ça fait près d'une semaine que je te vois comme ça et je ne peux pas m'habituer.

FRANCIS

Ben, moi non plus. Si seulement tu retirais ce maudit porte-parapluies.

CLAUDE

J'y pense pas.

FRANCIS

Si tu le retirais tout de suite, pendant que tu y penses?

CLAUDE

Ça, c'est une idée.

(*Il va le retirer et le ramène.*)

Là. Comme ça, tu cesseras de me faire sauter le cœur.

(*Il pose le porte-parapluies dans un coin, assez mal d'ailleurs car Francis s'y empêtrera tout à l'heure.*)

Alors? Ça va? Qu'a dit le toubib?

FRANCIS (*furieux*)

Je ne l'ai pas vu, ce crétin.

CLAUDE

Comment ça?

FRANCIS

Sa secrétaire m'a affirmé que je n'avais rendez-vous qu'à cinq heures et demie!

CLAUDE (*se frotte discrètement les mains*)

Mais c'est l'heure où Lucie vient!

FRANCIS

Parfaitement, c'est l'heure où Lucie vient... c'est bien pour ça que j'ai protesté! Jamais je n'ai pris rendez-vous à cette heure-là!

(*Soupçonneux.*)

Ce n'est pas toi, au moins?

CLAUDE (*innocent*)

Moi?

FRANCIS

Ce n'est pas toi qui as fait déplacer l'heure du rendez-vous pour te trouver seul avec elle?

CLAUDE (*lui tire la langue*)

Tu es fou! Tu me soupçonnes de ça?

FRANCIS

Ne fais pas de grimaces, d'abord.

CLAUDE

Mais je... comment...

FRANCIS

Ta mâchoire a craqué.

(*Il cherche un siège.*)

Ah, ce que c'est assommant de dépendre des autres!

CLAUDE

Vraiment, je m'étonne que tu m'accuses d'un tel machiavélisme.

(*Il jubile.*)

FRANCIS

Eh bien... j'avoue que je t'ai cru coupable.

CLAUDE (*solennel*)

Écoute, Francis... voilà six mois que tu vis ici...

FRANCIS

Six mois et six jours...

CLAUDE

Si tu veux... Voilà six mois et six jours que tu vis ici, chez moi. N'ai-je pas été de la plus grande discrétion?

FRANCIS

Si.

CLAUDE

N'ai-je pas toujours respecté ton intimité avec Lucie?

FRANCIS

Ça... à part les douze fois où tu es entré par erreur dans la salle de bains et les cent quatre-vingt-neuf boulettes de mie de pain que j'ai dû mettre dans le trou de la serrure... Oui, enfin dans l'ensemble, tu as été convenable.

CLAUDE

Ai-je tenté de faire la cour à Lucie?

FRANCIS

Oui. Mais ça n'a pas pris.

CLAUDE

Ai-je insisté?

FRANCIS

Oui.

CLAUDE (*outré*)

Oh! Tu as du culot.

FRANCIS

Je souffre.

CLAUDE

Mais il ne faut pas être jaloux comme ça, mon vieux, écoute!

FRANCIS

C'est horrible de vivre dans le noir comme ça!

CLAUDE

Enfin, y a six jours que tu vis dans le noir, ça va être fini dans un ou deux jours, et c'est pas terrible.

FRANCIS

Tu me jures que tu n'en as pas profité pour...

CLAUDE

Pour faire la cour à Lucie?

FRANCIS

Oui.

CLAUDE

D'abord, on ne jure pas pour des trucs comme ça.

FRANCIS

Claude, tu as couché avec elle!

CLAUDE

Ah ça, alors je te jure que non! Pas encore!

FRANCIS

Oh! Tu es un monstre!

CLAUDE

Je me demande ce que ça peut te faire. Tu trompes bien son mari!

FRANCIS

Ah, ce n'est pas pareil. D'abord c'est un ami de seize ans...

CLAUDE

Comment?

FRANCIS

Oh, c'est trop long à t'expliquer.

CLAUDE

Eh bien, je te considère comme un ami... Par conséquent...

FRANCIS

Tu es ignoble. Lucie est honnête.

CLAUDE

Pas avec son mari.

FRANCIS

Tu discutes comme un enfant.

(Il se lève, marche, et bute dans le porte-parapluies.)

Sacredieu! Quel est l'imbécile...

CLAUDE

Tu m'as dit de le changer de place, je l'ai changé de place!

(*Il le rechange.*)

FRANCIS

Je ne t'ai pas dit de me le mettre dans les jambes! Oh, mon Dieu, vivement que l'on me retire ces linges et que je cesse d'être un objet d'horreur!

CLAUDE

Tu n'es pas un objet d'horreur, on ne voit pas ta figure!

FRANCIS (*vexé*)

Merci quand même.

CLAUDE

Oh, ce n'est pas ça que je voulais dire.

FRANCIS

Tu l'as dit quand même.

CLAUDE

Ah, tu es trop susceptible, écoute...

(*Francis cherche le buffet et va se faire une tartine.*)

Qu'est-ce que tu veux?

FRANCIS

Je vais me faire une tartine. Je crève de faim.

CLAUDE

Veux-tu que je t'aide?

FRANCIS (*hargneux*)

Je sais me débrouiller seul.

(*Il se taille une tartine, maladroitement, et la garnit de roquefort.*)

Je suis encore capable, heureusement, de préparer mes aliments tout seul.

CLAUDE

Tu as peur qu'on ne t'empoisonne?

FRANCIS

Crétin!

(*Claude rit.*)

Alors! Tu viens me la tenir?

CLAUDE

J'arrive.

(*Il regarde sa montre.*)

FRANCIS

Oh! Quelle heure est-il, au fait?

CLAUDE

Cinq heures moins cinq.

FRANCIS

Oh, il faut que je parte, Zut.

CLAUDE

J'allais te le dire.

FRANCIS

Lucie va venir à cinq heures et demie, comme d'habitude.

CLAUDE

Je la distrairai en t'attendant.

FRANCIS

Je serai là à six heures.

CLAUDE

Bon, bon!

FRANCIS

Au plus tard!

CLAUDE

Bien!

FRANCIS

Et pas de blagues, hein! D'ailleurs, je téléphonerai!

CLAUDE

Ah, là là!

FRANCIS

Je suis jaloux, qu'est-ce que tu veux...

CLAUDE

Je suis pourtant discret!

FRANCIS

Ça, je reconnais!

CLAUDE

Depuis six mois que tu es ici, tu n'as pas eu un seul ennui... si j'avais voulu t'embêter, j'aurais prévenu son mari! Et tu es là à m'accuser de turpitudes! J'ai presque envie de lui téléphoner, au mari!

FRANCIS

Tu ne ferais pas ça! Pas âme qui vive ne doit savoir que je suis là!

CLAUDE

Bon, bon! Mais cesse de m'accuser...

FRANCIS

Je te remercie de tout ça...

CLAUDE

Tu as une façon! Toujours me suspecter!

FRANCIS

Bien. Je reviendrai à six heures. Tu vois que j'ai confiance

CLAUDE

Ça va! File.

FRANCIS

Je file.

(*Il se flanque dans le porte-parapluies.*)

Nom de Dieu!

CLAUDE

Excuse-moi...

(*Il va le déplacer et conduit Francis à la porte.*)

A tout à l'heure...

(*Francis revient.*)

FRANCIS

Et ne touche pas à ma tartine, hein! Bon Dieu, je crève de faim! Ah! Quelle barbe! Quelle barbe!

(*Il sort en bougonnant.*)

CLAUDE

Ouf. Demain, on lui retire ses pansements!

(*Il regarde sa montre.*)

Et tout à l'heure, Lucie sera là... Nous serons sans témoins pour la dernière fois... Lucie, demain, c'est fini notre intimité... nos longs regards... nos contacts silencieux... nos doigts enlacés... cinq jours de contacts... Le delco commence à chauffer... Et Roger a beau dire, il n'y a vu que du feu quand je lui ai donné rendez-vous pour aujourd'hui; elle va venir! Ce que je ne comprends pas, c'est pourquoi Roger la couve comme ça; après tout, ce n'est pas son amie, c'était celle de Francis; il a peut-être peur de moi...

(*Flatté.*)

Hé hé! Qui sait!

(*Il va à la glace.*)

Après tout!...

(*Il se regarde et se menace du doigt.*)

Mais dites-moi, Claude Vilebrequin, vous avez mauvaise mine... allez... petit casse-croûte fortifiant!

(*Il va ouvrir un placard.*)

Quand je suis ému, je mange comme six... roquefort... gros rouge... pain.

(*Il se fait une tartine, il mange.*)

Mmm...

(*Il retourne à la glace.*)

Je ne connais rien de meilleur... Rien... que les yeux de Lucie... les doigts de Lucie... les lèvres de Lucie.

(*Il s'arrête.*)

Stop! Vilebrequin! tu ne l'as pas embrassée, ne t'énerve pas comme ça.

(*Plaidant.*)

Mais elle va venir!

(*Se répond.*)

Je le sais qu'elle va venir; mais *primo* tu as encore une demi-heure à attendre, *secundo*, ce n'est pas une raison, tu n'as aucune chance, et un après-midi pour la conquérir, c'est absolument insuffisant.

(*Plaidant.*)

On ne sait jamais.

(*Répond.*)

Mais si, on sait, crétin!

(*Il mange.*)

Mmm... que c'est bon!

(*Plaidant.*)

Tu devrais tout de même essayer!

(*Répond.*)

Tu ne vas tout de même pas faire ça, à Francis?

(*Plaidant.*)

Mais il est parti, Francis!

(*Répond.*)

Tu n'aurais pas honte de prendre ainsi la place du héros absent?

(*Répond.*)

Je n'aurais pas honte du tout.

(*Il boit.*)

Ah! ça, c'est répondu!

(*Il se lève.*)

Ce que je suis nerveux!

(*Il reboit.*)

Soyons calme! J'ai une heure pour la séduire; je n'ai aucun espoir mais... ce n'est pas le moment de perdre la tête... mais que faire en attendant...

(*Il va à l'étagère.*)

Un livre...

(*Il en prend un au hasard.*)

C'est à Francis; tant pis...

(*Il se met à lire puis sursaute.*)

Quoi! Du roquefort et du gros rouge!

(*Il regarde le livre.*)

Casanova. Mais il est député ce type-là, qu'est-ce qu'il a à faire avec l'amour?

(*Il regarde.*)

Mémoires de Jacques Casanova de Seingalt.

(*Relit.*)

Pas de doute!

(*Il se lève, va au dictionnaire.*)

Casa... Casanova Jacques de Seingalt.

(*Il bredouille.*)

Le plus célèbre des amoureux!

(*Il se rengorge.*)

Un maître! Un classique! Et je me rencontre avec lui sur ce terrain! Sans travaux préalables, sans recherches fastidieuses, sans laborieuses préparations, j'ai abouti aux mêmes conclusions que Casanova de... de Machin... le maître de l'amour! A vingt-cinq ans, par mes propres moyens, j'ai redécouvert la vérité, comme Pascal dans sa brouette... non... comme Pascal et l'œuf de Christophe Colomb... non... comme Christophe Colomb dans sa brouette... oh! zut! je ne me rappelle plus!

(*Il se rengorge.*)

Et le roquefort, évidemment, ça laisse à désirer comme esthétique, ça sue un peu et ça sent les pieds, mais il y a le papier d'argent!

(*Il prend le livre.*)

Casanova!

(*Retourne à la glace.*)

Ah, Vilebrequin! Casanova! C'est un signe! Aujourd'hui, elle te tombe dans les bras.

(*Se répond.*)

Mais Francis? Tant pis pour Francis! Et Roger? Ah, zut, après tout, il n'a pas d'option, quand même. Pourtant il l'aime, ça j'en suis sûr... et c'est lui qu'elle vient voir...

(*Il est embêté.*)

C'est ignoble, au fond, ce que je fais avec ce pauvre Roger... J'essaie de lui prendre Lucie.

(*Il se décide.*)

Tant pis, ce n'est pas sa femme... et il n'a qu'à ouvrir l'œil. On n'a pas des accidents comme ça... Après tout, lui aussi, c'est dégoûtant ce qu'il veut faire! Il veut tromper ce pauvre Bonneau... je ne le connais pas, Bonneau, mais c'est bien son tour, à Roger... Je vais venger Bonneau; si elle m'aide, naturellement...

(*Il boit.*)

Du culot! A nous Casanova!

(*Il reprend le livre.*)

Je sens que je vais m'instruire avec ce truc-là...

(*On sonne, il regarde sa montre.*)

Lucie? Non! Ce n'est pas l'heure! La barbe! Quel est l'emmerdeur...

(*Il se lève bouche pleine et verre en main, va ouvrir. Entre un chauffeur portant une valise.*)

SCÈNE II

CLAUDE, CHARLES (*le chauffeur*)

CHARLES

Monsieur Vilebrequin. C'est ici?

CLAUDE

Ça dépend de ce que vous lui voulez?

CHARLES

J'apportais ça.

CLAUDE

Ah! si c'est pour apporter... ça va, entrez, c'est moi.

CHARLES

Permettez.

(*Il passe devant Claude et pose la valise.*)

En ben, elle est drôlement pleine, la salope... Oh, pardon, monsieur...

CLAUDE

Il fallait moins la bourrer...

(*Mine étonnée du chauffeur.*)

Il ne fallait pas tant la bourrer... votre valise, oui. Et maintenant, si vous m'expliquiez ce que ça veut dire?

CHARLES

Ah, ça, monsieur, moi j'en sais rien, ce que je sais, c'est que ça fait six mois et six jours que je conduis Madame à cinq heures au 31 *bis* de la rue Campagne-Première et qu'aujourd'hui, c'est Monsieur qui vient à cinq heures... Alors moi, vous savez, je ne cherche pas à comprendre... d'ailleurs je n'ai pas étudié et je m'en fous...

(*Pris d'un dernier doute.*)

Vous êtes bien monsieur Vilebrequin?

CLAUDE

Mais oui... mais oui, mais qui ça, Monsieur?

CHARLES

Monsieur Bonneau, monsieur. Mon patron. Le mari de ma patronne, monsieur. Monsieur, quoi.

CLAUDE

Le mari de Lucie?

CHARLES

Le mari de Lucie, oui, monsieur... oh, pardon, monsieur... le mari de Madame, quoi...

CLAUDE

Il vient chez moi? Mais il ne compte pas remplacer sa femme, quand même?... en tout cas, il ne perd pas de temps, celui-là, alors...

CHARLES

Ah monsieur, moi, je ne sais pas, je suis de la Mayenne, hein... en tout cas, il me suit... le voilà, monsieur...

SCÈNE III

CLAUDE, CHARLES (*qui va se retirer*), ANTOINE.

Antoine entre, volubile, l'air à son aise.

ANTOINE

Ma valise est là, Charles?

(*Geste du chauffeur.*)

Très bien! bon!

(*Il regarde l'heure.*)

Cinq heures moins le quart! filez chercher Madame, voyons, vous allez faire attendre monsieur Vilebrequin... dépêchez-vous.

(*Il le pousse.*)

Et n'oubliez pas... le premier à la Muette, le second au Rond-Point, le troisième à Saint-Lazare.

(*Il ferme la porte.*)

Monsieur Vilebrequin? Antoine Bonneau... non, nous ne nous connaissons pas... mais votre carte de visite est sur la porte et nous avons des relations communes... ma femme notamment... Peut-on s'asseoir chez vous? Vos six étages sont esquintants... Comment se fait-il qu'ils n'aient pas l'ascenseur dans un immeuble aussi moderne que ça? tout est façade, maintenant, c'est vrai...

(*Il regarde le verre que tient toujours Claude.*)

Mais posez donc ça...

(*Il lui prend le verre, le renifle et le pose sur un meuble.*)

Du gros rouge! C'est répugnant! de mon temps, on offrait du porto.

(*Il le regarde mieux et sursaute.*)

Mais quoi? Ne bougez pas!...

(*Il le regarde.*)

André! André Dupont! c'est toi...

(*Air ahuri de Claude, Bonneau se passe a main sur le front.*)

Je comprends tout!

(*Il se ressaisit.*)

Mais non, évidemment... ce n'est pas toi... enfin, ce n'est pas vous... il aurait mon âge... excusez-moi. Je vous ai pris, un instant, pour un vieil ami... André Dupont... vous connaissez?

CLAUDE

Je connais un Dupont, oui, il habite juste à côté de chez moi... un type assez sympathique... trente ans à peu près... très brun...

ANTOINE

Vous voyez! Quelle coïncidence! mais ce n'est pas le même; le mien aurait au moins quarante-cinq ans... le vôtre, ce n'est pas ça... il est dans l'appartement de gauche, hein, et à droite c'est madame Valbon.

CLAUDE

Oui... Comment savez-vous ça?...

ANTOINE

Non... mais lui, il aurait quarante-cinq ans... Quand même, c'est troublant... idiot, mais troublant... Ah... et puis vous êtes trop grand! asseyez-vous, je vous dis... vous me donnez le vertige... et vous me vexez...

(*Il le pousse habilement dans un fauteuil.*)

Ne vous défendez pas.

(*Claude va protester.*)

Je suis ceinture noire de judo... 3e dan.

(*Claude a un haut-le-corps et s'abstient de protester, l'autre inspecte la pièce.*)

Dieu que c'est laid chez vous! Et vous arrivez à avoir des femmes avec un goût pareil? Et des femmes assez bien, en somme, parce que Lucie... évidemment, elle n'a plus vingt ans, mais c'est encore une jolie femme et du goût, elle en a certes plus qu'à vingt ans... je l'ai formée... mais bah... j'aurai le temps d'arranger tout ça... par exemple, quelque chose que je vais faire tout de suite, c'est retirer ce machin-là...

(*Il va vers le tableau.*)

Quelle horreur! vous avez acheté ça aux puces, ce n'est pas possible!

(*Il le décroche, le regarde, le laisse tomber et le piétine négligemment, puis regarde le mur nu.*)

Là! c'est déjà bien mieux!... Je n'aurais pas pu dormir avec ce truc-là sous le nez.

CLAUDE (*se dresse*)

Mais enfin!

ANTOINE (*très calme*)

Mais enfin quoi?...

CLAUDE

Mais enfin, monsieur, vous détruisez mon mobilier!

ANTOINE

Mais non. Ce tableau était ignoble. Je vous ai rendu service. Maintenant, le mur prend toute sa valeur.

(*Il va au divan et l'éprouve de la main.*)

Vous avez un matelas Simmons?

CLAUDE

Un quoi?

ANTOINE

Je vous demande si vous avez un matelas Simmons? Oui, non?

CLAUDE (*calme*)

Si c'est pour le piétiner comme le tableau... vous allez rebondir, je vous préviens...

ANTOINE (*hausse les épaules*)

C'est un peu plat, enfin avec un traversin, ça ira. Vous, vous dormez sans traversin, naturellement... le ventre plein de gros rouge... la bouche ouverte, les doigts de pieds écartés... vous devez ronfler, et le matin ça sent le singe dans votre chambre...

(*Il va ouvrir la fenêtre.*)

D'ailleurs, indiscutablement, ça sent déjà les pieds...

CLAUDE (*digne*)

Monsieur, c'est le roquefort.

ANTOINE

Eh bien, vous pourriez au moins le mettre sous clé, l'enfermer. Le museler, je ne sais pas, moi... lui poser une pince à linge... ou acheter du Bonodor... mais faites quelque chose!...

(*Claude, dominé, se lève et range le roquefort, Antoine éprouve un des fauteuils et, satisfait, s'y laisse tomber.*)

Ah! par contre, ceci est parfait! mes compliments!... excellent! il est très mal recouvert et très mal placé...

(*Se relève.*)

Mais il est confortable. Voyons... ici, entre le bureau et le guéridon, il serait tout de même bien plus logique... et là, la chaise pour l'équilibrer...

(*Il s'affaire et arrange tout bien mieux qu'au lever du rideau.*)

Mordieu, décidément, ce rideau vert fout tout par terre!

(*Il le décroche d'un coup sec.*)

CLAUDE (*furieux*)

Ah! non! quand même! mon rideau vert!

ANTOINE

Il ne foutait pas tout par terre?

CLAUDE (*furieux*)

Si, monsieur!

ANTOINE (*très calme*)

Eh ben c'est bien son tour.

(*Geste altier.*)

Faites disparaître cette épave.

(*Il va se rasseoir dans le fauteuil tandis que Claude reste idiot le rideau à la main — puis, haussant les épaules, va le fourrer dans un placard et revient, l'air décidé à se bagarrer.*)

Et maintenant que ce studio est un peu plus vivable, asseyez-vous et bavardons un peu...

CLAUDE

Ça, alors! Vous allez vous lever! et je vais commencer par vous corriger!...

ANTOINE (*lève un doigt*)

Tut! Tut! Ceinture noire, 3ᵉdan! ne m'obligez pas à des sévices que je serais le premier à regretter le jour où je viendrais vous porter des oranges à l'hôpital. Asseyez-vous!... là...

(*Claude s'assied, grommelant.*)

Alors? A votre avis?

CLAUDE

Quoi, à mon avis?

ANTOINE

Qu'est-ce que vous en pensez?

CLAUDE

Mais de quoi, bon Dieu de bois!

ANTOINE

Ce n'est pas une bonne idée, de venir coucher chez vous?

CLAUDE

Vous venez coucher chez moi?

ANTOINE

Enfin, pourquoi croyez-vous que je fais porter ici ma valise par mon chauffeur, pourquoi croyez-vous que je me donne le mal d'arranger votre mobilier? — autant que faire se peut évidemment, car il y aurait vraiment tout à revoir. Pourquoi...

CLAUDE (*l'interrompt*)

Mais monsieur, je ne vous connais pas... vous tombez ici... comme un rat dans la soupe... si, si, un rat... et, entre nous, à un moment très mal choisi; vous cassez tout, vous m'engueulez, vous me dites que vous vous installez ici, et vous me demandez de comprendre? Ah, non?

ANTOINE

En somme, ma présence ici vous déplaît?

CLAUDE

Souverainement.

ANTOINE

Ainsi, vous recevez ma femme? Oh! ne protestez pas! elle couche avec vous depuis le 6 décembre.

(*Sursaut de Claude.*)

CLAUDE

Mais... vous êtes fou?

ANTOINE

(*rire de commisération — il tire un carnet de sa poche*)

Allons... allons... Je n'affirme rien que je ne puisse prouver. Votre prédécesseur c'était Francis Lopez, le peintre mexicain. Elle l'a quitté le 6 décembre à la date prévue, voilà six mois, pour venir régulièrement vous voir ici.

CLAUDE

Mais...

ANTOINE

Ne m'interrompez pas, je vous prie. C'est assez compliqué comme ça. Elle a couché avec Lopez depuis le six juin jusqu'au six décembre de l'année dernière. Auparavant, c'était un avec nommé Jean de Marillac... un parfait imbécile, d'ailleurs... vous êtes bien mieux... lui, je lui ai cassé deux côtes la première fois que je l'ai vu.

(*Geste de Claude.*)

Ne craignez rien... ça serait déjà fait. Avant Jean de Marillac... mais ça ne présente aucun intérêt pour vous. Voyez-vous, Monsieur Vilebrequin, il n'y a que vous de possible... Francis Lopez, ça a été terminé en décembre, et il est parti d'ailleurs; or à cette époque, parmi les locataires possibles, il y a vous, un point c'est tout. Donc, elle couche avec vous. Vous la recevez tous les jours, de cinq à sept. Oui, je sais, ça fait banal; mais pour ça, je vous excuse, au fond, on ne peut pas innover dans tous les domaines! après tout, il n'y a que vingt-quatre heures dans une journée, dont douze portent le même nom que les douze autres, ce qui laisse, je vous l'accorde, un choix singulièrement limité. Vous recevez ma femme, disais-je. Et vous la recevez bien; je n'ai pas entendu qu'elle se soit plainte le moins du monde de vos procédés à son égard — mais moi, ma présence vous déplaît?

CLAUDE

De façon considérable.

ANTOINE (*encourageant*)

J'ai une sale gueule dites-le?

CLAUDE

Moi, je n'aurais pas eu l'idée de vous épouser.

ANTOINE

Vous insinuez donc que je ne fais pas honneur à son goût? Je pourrais vous répondre que vous êtes aussi un de ceux qu'elle a choisis, mais en tout cas, ce n'est guère aimable pour elle, jeune homme, et vous avez de la chance que je sois décidé à vous trouver sympathique.

CLAUDE

Monsieur, je le regrette le premier.

(*Il fait le geste de se lever.*)

ANTOINE

Vous avez tort! Un poignet, c'est si vite cassé!

(*Claude se rassied.*)

Et qu'est-ce que vous faites ensemble? quand elle vient vous retrouver?

CLAUDE

Mais enfin, monsieur, vous êtes révoltant!

ANTOINE

Mais vous voyez bien! ceci confirme mes certitudes. Oh! ce que je souffre! c'est merveilleux! Vous ne feriez pas encore des choses comme ça si vous ne la connaissiez que depuis une semaine. Quant à être révoltant, après tout, c'est vous qui couchez avec elle, ou c'est moi?

CLAUDE

Enfin, c'est vous qui avez commencé, quand même.

ANTOINE

C'est juste! mais moi, je ne veux plus coucher avec elle.

CLAUDE

Et pourquoi, s'il vous plaît?

ANTOINE

Pour diverses raisons, dont l'une est que moi, ça me dégoûte profondément de coucher avec la femme d'un cocu.

CLAUDE

Mais c'est votre femme!

ANTOINE

Alors? Je suis cocu, oui ou non?

CLAUDE (*se tient la tête à deux mains*)

Assez!

ANTOINE

Je suis cocu, oui ou non!

CLAUDE

Oui! Oui! Oui!

(*Il cherche.*)

Et après? euh, ce n'est pas si mal, d'être cocu.

ANTOINE

Soyez-le si vous voulez, moi ça ne m'intéresse plus, depuis le temps. C'est la douleur qui m'intéresse.

CLAUDE

Mais tout le monde est cocu! Chez les maris, c'est une tradition un peu plus solide évidemment, mais les amants le sont aussi... Un amant, c'est toujours le mari de quelqu'un d'autre.

ANTOINE

Vous êtes marié?

CLAUDE

Si j'étais marié, je ne tromperais pas ma femme.

ANTOINE

Naturellement... c'est elle qui vous tromperait. Comme moi. Et puis, vous n'êtes pas marié, c'est facile à dire.

CLAUDE

Bon, admettons, mais le jaune! enfin! monsieur, le jaune, c'est gai! c'est la couleur du soleil!

ANTOINE

Soyez-le, je vous dis! Libre à vous!

CLAUDE (*désespéré*)

Mais ne l'est pas qui veut!...

ANTOINE

Ah ça! vous avez mis le doigt dessus. En revanche, l'est souvent qui ne veut pas.

CLAUDE

Enfin, monsieur, honnêtement, voulez-vous m'expliquer ce que vous êtes venu faire ici? Si c'est pour me casser la gueule, faites-le — je vous préviens honnêtement que je ne suis ni ceinture noire, ni troisième dan, mais que j'ai quelque peu pratiqué la culture physique. Si c'est pour me tirer dessus, ne vous gênez pas, il y a de la surface et vous serez acquitté. Si c'est pour me tourner en ridicule, vous n'aurez aucun mal, parce que je ne suis pas précisément fort pour les discussions.

ANTOINE

Oh, je ne vous force pas à vous en aller. J'ai simplement l'intention de rester quelques jours chez vous pour souffrir à l'aise. Évidemment, je ne pensais pas que ça serait aussi laid.

CLAUDE

Mais vous êtes complètement fou!

ANTOINE

Je ne vois pas en quoi. Vous me prenez ma femme, je ne dis rien. Je ne dis jamais rien, d'ailleurs ça fait dix-sept ans que nous sommes mariés, seize ans qu'elle me trompe.

(*Mouvement de Claude.*)

Oui, seize ans... elle est bien conservée. Ça fait seize ans que je souffre à domicile, et ça s'émousse... C'est que depuis dix-sept ans, j'habite le même appartement, du côté de Péreire... un quartier assommant, avec le chemin de fer, et puis des gens tristes, des rues tristes! ah là là, je me de mande comment j'ai supporté ça dix-sept ans... bon ; eh bien je me dis : L'amant... actuel de Lucie est sûrement un garçon compréhensif... en fait, vous savez, ceinture noire, troisième dan, je ne rencontre que des gens compréhensifs... je me renseigne — je me renseigne discrètement... Oh, j'ai un type très bien... depuis 1924, il me donne toute satisfaction... et puis ce n'était pas difficile, il n'y a que vous et Dupont, et Dupont est tabou. Je sais donc qui vous êtes, où vous habitez... vous avez un peu d'argent... vous le gagnez à peu près honnêtement, en faisant un métier pas trop cérébral... vous êtes mannequin, je crois... chez un grand couturier pour hommes... et vous n'êtes pas pédéraste, ce qui, dans votre métier, est un paradoxe assez amusant, une audace même... si, si, c'est audacieux, et je comprends que ça ait plu à Lucie... elle adore la hardiesse... bon... eh bien, tirant argument de nos fréquentations parallèles, je vous prie de me céder temporairement votre studio... un caprice... voilà, appelons ça un caprice. Tout de même, depuis dix-sept ans, jamais je n'ai rien demandé aux amants de ma femme. Vous trouvez que j'exagère?

CLAUDE

Vous auriez pu demander au précédent; moi, je la connais depuis si peu de temps...

ANTOINE

Ne soyez pas mufle comme ça, mon cher, ce n'est pas une course contre la montre.

CLAUDE

Ben, non, mais pourquoi moi? pourquoi pas Jean de Marillac? ou un des autres?

ANTOINE

Parce que jusqu'ici jamais l'inspiration ne m'a manqué à ce point.

CLAUDE

Je n'y comprends rien du tout... continuez. Continuez si ça vous amuse.

ANTOINE

C'est ça, laissez-moi m'expliquez, vous ferez vos commentaires ensuite. Je reprends. Avouez qu'après avoir cassé deux côtes à Jean de Marillac, je pouvais difficilement lui demander un service... Quant à Lopez, Lucie ne l'aimait pas, en réalité. Elle croyait l'aimer. Simple passade, comme d'habitude, et d'ailleurs, comme prévu, Lopez a disparu de la circulation le 6 décembre. Vous, j'ai l'impression que c'est beaucoup plus sérieux. C'est aussi un peu pour ça que je vous ai choisi. Ça me gêne moins.

CLAUDE (*excédé*)

Il y a d'autres endroits!

ANTOINE

Je ne m'y sens pas à l'aise. Je n'y souffrirais pas assez.

CLAUDE

Ça, alors, je m'en fous.

ANTOINE

Que vous vous en foutiez ou non, vous avez des devoirs.

CLAUDE

Des devoirs? Et vis-à-vis de qui, donc?

ANTOINE

De ma femme. Donc de moi. Nous sommes parents par alliance.

CLAUDE (*rire forcé*)

Ah, très drôle... Très très drôle...

ANTOINE (*même jeu*)

N'est-ce pas, c'est drôle.

(*Ils rient forcé tous deux et s'arrêtent net ensemble.*)

CLAUDE

Et ça fait partie de mes devoirs vis-à-vis d'elle, de m'en aller?

ANTOINE

Évidemment, puisque je suis son mari et que je vous le demande.

CLAUDE

Et où voulez-vous que j'aille?

ANTOINE (*naturel*)

Mais où vous voudrez, voyons. Restez, même, ça sera encore pire. C'est très gai, chez moi. Trop gai. Je ne peux travailler que dans la douleur. Si vous avez la gentillesse de rester, ça va me rendre extrêmement malheureureux. Et puis, vous êtes sûrement un hôte agréable.

CLAUDE

Ça, c'est le bouquet!

ANTOINE

Oui, je ne sais pas pourquoi, j'ai confiance en vous — sans doute parce que Lucie a toujours eu le goût assez sûr... à part cet affreux Marillac qui l'avait séduite par un charme tout en surface... vous êtes bien mieux.

CLAUDE

J'en suis ravi.

ANTOINE

N'est-ce pas, c'est flatteur. Pour qu'une femme comme Lucie aime un homme, il faut qu'il ait quelque chose.

CLAUDE

Alors, il est certain qu'elle a dû vous aimer beaucoup, parce que vous avez quelque chose.

(*Il se tapote négligemment le front.*)

ANTOINE

Merci, mais le mien n'est plus en cause. Je vous avoue qu'outre mon désir de douleur, je suis également venu pour voir le vôtre.

CLAUDE

Mon quoi?

ANTOINE

Votre quelque chose.

CLAUDE

Et vos conclusions?

ANTOINE (*très sincère*)

Je la comprends.

CLAUDE (*assez flatté quand même*)

Merci.

ANTOINE

Oui, Lucie a toujours eu le goût du changement. Ainsi, je suis plutôt spirituel, assez élégant... vif, très adroit de mes mains — j'ai de la repartie, le sens des affaires... un certain talent... je vois très bien ce qu'elle a aimé en vous... un contraste total.

CLAUDE (*vexé*)

Je vois aussi, vous êtes trop aimable. Mais entre nous, est-ce que vous n'êtes pas tout simplement venu ici pour me parler de votre femme?

ANTOINE

Et à qui voulez-vous que j'en parle?

CLAUDE (*un peu soufflé, commence à entrevoir*)

Mais pourquoi à moi? Vous avez bien des parents, des amis, des relations, non?

ANTOINE

Les parents, il faut les tenir à l'écart de sa vie conjugale, sinon on risque de briser le ménage. Quant aux amis... vous savez, les miens sont très sérieux... des industriels, des commerçants... il ne me restait donc que les siens...

CLAUDE

Je vois. Et dans quoi faites-vous, à propos?

ANTOINE

Dans quoi je fais?

(*Il comprend.*)

Ah!... je fais dans la sciure.

(*Mine estomaquée de Claude.*)

Oui... j'achète de la sciure en vrac et je la revends en sacs. Ce n'est pas sorcier... mais ça demande un certain flair... j'ai hérité l'affaire de mon père.

CLAUDE

Ah! votre père?...

ANTOINE

Dans la sciure aussi, oui... mais moi, en outre, j'écris.

CLAUDE

Tiens... vous faites aussi dans la littérature?

ANTOINE

Oui... je suis assez doué... à condition de souffrir.

CLAUDE

C'est parfait... mais de ce côté-là, vous devez avoir des interlocuteurs beaucoup plus amusants que moi? des écrivains, des poètes?

ANTOINE

Je n'ai guère confiance; les relations que l'on peut avoir avec eux sont toujours empreintes d'une certaine gêne... oui... parfois même de jalousie.

CLAUDE (*ironique*)

Ils envient votre talent?

ANTOINE

Oh non! ils envient la sciure! le talent, ils l'ont tous. Il ne leur manque que l'argent. Mais ça suffit à les rendre antipathiques.

CLAUDE

En somme, je suis le seul à qui vous puissiez parler de votre femme.

ANTOINE

En somme, oui. Qu'est-ce que vous voulez, à part le tableau et le rideau vert, je n'ai rien à vous reprocher...

CLAUDE

Le tableau, ça ne fera pas plaisir à Lucie.

ANTOINE

Comment?

CLAUDE

Oui, c'est elle qui me l'a donné hier. Oh, moi je suis d'accord avec vous, c'était une horreur. De Picasso, je n'aime que la période bleue. La rose, à la rigueur.

ANTOINE

De Picasso! C'était...

CLAUDE

Ça n'a pas d'importance, vous savez, il en fait de nouveaux tous les jours.

ANTOINE

Mais ça vaut au moins...

CLAUDE

Vous n'êtes pas généreux. Enfin, tant pis, vous vendrez un peu plus de sciure.

ANTOINE

Ah, tout de même, c'est bête...

CLAUDE

Ça oui... une chose qui vous gêne, il est beaucoup plus simple de ne pas la regarder que de la détruire...

ANTOINE

Oui, mais quand on l'a sous les yeux tout le temps!

CLAUDE

Alors, il faut la donner... elle peut toujours faire plaisir à quelqu'un d'autre.

(*Un silence — il regarde sa montre.*)

Cinq heures et demie! Lucie devrait être là depuis longtemps! Elle n'a pas eu un accident, au moins!...

ANTOINE (*regarde la sienne*)

Oh... Charles doit en être à sa troisième panne de carburateur. Une à la Muette, une au Rond-Point et une à Saint-Lazare. Ça nous fait cinq minutes.

CLAUDE

C'était prévu?

(*Antoine acquiesce.*)

Bon, bon, bon. Mais ça ne va pas paraître bizarre, trois pannes de carburateur?

ANTOINE

Non, c'est naturel, il y a trois carburateurs.

CLAUDE

Mes compliments... c'est au moins une Delahaye.

ANTOINE

Une Talbot. Mais je ne l'ai pas achetée pour ça, vous savez. C'est Lucie qui l'a choisie.

CLAUDE

Tout pour être heureux. Une belle voiture...

ANTOINE

Une femme délicieuse... Et je suis chez vous! Déjà, j'ai des pincements au cœur.

CLAUDE

Ah?

ANTOINE

Oui. Littéralement, ça me torture! Quel chef-d'œuvre je vais écrire!

(*Sonnerie de téléphone.*)
(*Antoine va décrocher, Claude le devance.*)

CLAUDE

Excusez-moi.

(*Au téléphone.*)

Allô! 47-83! oui, monsieur Vilebrequin. Vous passer monsieur Bonneau, mais qui est à l'appareil? Ah! bon!...

ANTOINE (*avance et prend*)

Vous voyez bien que c'était pour moi... mais qui peut me téléphoner? personne ne sait que je suis ici.

CLAUDE

Si, votre chauffeur.

(*Il lui tend.*)

Et Dieu.

ANTOINE (*bouche l'appareil.*)

Quoi? et qui encore?

CLAUDE

Dieu. Dieu sait tout.

ANTOINE

Oh! Lui, ça ne fait rien! il en voit tellement!

(*Au téléphone.*)

Allô... Charles, ici Bonneau... quoi? naturellement, ça a marché les trois fois? Une quatrième panne? mélange trop pauvre? Une soupape grillée! Ah! merde, alors.

CLAUDE

Une panne de rabiot, en somme.

ANTOINE

Naturellement, vous avez bien fait de me prévenir. Et madame!... elle a pris un taxi? Elle vous a dit qu'elle rentrait à la maison? Bon... Eh bien, mettez-la au garage, naturellement!

CLAUDE

Vous êtes dur avec votre femme.

ANTOINE (*à Claude*)

Quoi? C'est la voiture...

(*Au téléphone.*)

Comment, Charles? Ah! ça c'est assommant... Bon... faites pour le mieux.

(*Il raccroche.*)

Il dit qu'il y en a pour trente billets de réparation... C'est bien notre veine!

CLAUDE

Votre veine, si ça ne vous fait rien...

ANTOINE

Oh, moi, je suis partageux!...

CLAUDE

Alors pensez au garagiste...

(*Antoine bougonne.*)

Vous vouliez souffrir, oui ou non?

ANTOINE

Oh, mais le portefeuille, c'est une douleur bien trop terre à terre... c'est une jambe cassée, ce n'est pas un poison lent... et comble de déveine, Lucie ne vient pas!

CLAUDE (*furieux*)

Elle ne vient pas! Ah, zut alors! Ce que vous pouvez être casse-pieds!

ANTOINE

Si vous croyez que ça m'amuse! Moi qui allais pondre un chef-d'œuvre!

CLAUDE

Ça, je m'en fous, alors!

ANTOINE

Ça ne m'étonne pas. Heureusement que la postérité jugera.

CLAUDE

Bon. Eh bien je n'ai plus qu'une chose à faire. Donnez-moi vos clés.

ANTOINE (*se fouille*)

Mes clés... pourquoi?

CLAUDE

Vite!

(*Il les lui prend.*)

Celle-là, c'est laquelle?

ANTOINE

Celle-là... la porte d'entrée... celle-ci mon bureau... celle-là... ah! non! pas celle-là!

CLAUDE

Je prends tout!

(*Il les rafle.*)

ANTOINE

Mon whisky! Non, alors!

CLAUDE

Allons! entre nous, pas de façons... Bon. Tout est en ordre.

(*Il regarde.*)

Au fait, vous aurez le lait demain à huit heures... C'est la concierge qui le monte pour nous deux... Roger et moi... méfiez-vous du réchaud à gaz, le tuyau fuit un peu, fermez bien le robinet d'arrêt... et puis la douche ne marche pas, il faut tirer sur la soupape avec le bout du tire-bouchon... C'est très facile... si ça explose, vous pourrez aller la prendre chez Roger... oh! il est très gentil, il ne s'étonnera pas... dites que vous êtes un ami à moi... ne vous effrayez pas... il a eu un accident récemment, il a la tête couverte de pansements... mais c'est un très brave type; il y a du pain pour ce soir... dans le four... pensez à l'y laisser, sans ça la souris fait caca dessus... et si on me téléphonait du magasin, soyez gentil, donnez mon nouveau numéro.

ANTOINE (*démonté*)

Lequel?

CLAUDE

Eh ben, mais le vôtre, voyons... Aurteil 55-85... Bon... ça a l'air d'être tout... alors je vous laisse; quand Lucie téléphonera, dites-lui que j'arrive... allez, on boit le coup de la séparation.

(*Il prend des verres tout en parlant et sert deux rouges-bord.*)

Un peu de roquefort? Non? Tout bien réfléchi, je vais en reprendre un peu... j'adore le roquefort.

(*Antoine regarde son verre de rouge d'un air dégoûté.*)

Le roquefort et le gros rouge... c'est... euh, c'est épatant pour ce que j'ai, en tous cas. Vous ne buvez pas? Je vous ai donné un verre propre, vous savez.

(*Durant toutes ces répliques, il finit la tartine commencée au début.*)

Ah... ça va mieux... maintenant, le coup de chasse.

(*Il vide son verre d'un trait.*)

Au fait! j'oubliais... ma brosse à dent.

(*Il va et revient rapidement tout en parlant.*)

Les pyjamas...

(*Il jauge Antoine.*)

Heu... je ne pourrai pas entrer dans les vôtres... bah, tant pis, je dormirai sans pyjama... une fois par hasard... vous ne m'en voudrez pas... mon rasoir... bon... C'est tout... Quelle est votre pointure?

ANTOINE

Hein?... quarante-deux...

CLAUDE

Ben dites donc, pour votre taille, qu'est-ce que vous avez comme nougats!... moi, je ne fais que quarante-trois et j'ai une tête de plus que vous... enfin, je vous en emprunterai quelques paires... ça, c'est une manie chez moi... je change de chaussettes deux fois par jour.

(*Il se penche et lève le pantalon d'Antoine.*)

Comment sont-elles? Ah! quelle horreur! enfin... tant pis, ça m'assomme d'en emporter et puis je n'ai pas le temps... Lucie a assez attendu comme ça... alors au revoir, hein... on se téléphone... et n'oubliez pas pour la douche hein... sans ça le voisin du dessous est inondé à chaque coup.

(*Il vide un dernier coup.*)

Fameux, ce beaujolais...

(*Il repose son verre et part avec un geste.*)

Salut!...

SCÈNE IV

ANTOINE

ANTOINE

Eh ben ça!...

(*Il reste seul en scène, un peu abasourdi, le verre toujours à la main. Hésitant, il le porte à ses lèvres.*)

Pouah! quelle horreur!...

(*Il va pour le reposer, mais le téléphone sonne. Il a un air de rat traqué.*)

Lucie! Déjà! Bon Dieu!

(*Il regarde son verre et marche lentement vers le téléphone.*)

Qu'est-ce que je vais prendre!...

(*Il décroche.*)

Allô!... Allô! Comment, vieux con? Je vous prie... mais non, ce n'est pas Claude Vilebrequin! Non, je ne vous excuse pas!.

(*Il raccroche d'un geste sec.*)

Quelles relations il a! Mais bon Dieu, quelle émotion...

(*Il va dans la pièce et tombe sur le livre ouvert.*)

Qu'est-ce qu'il lisait? Casanova! Ça ne m'étonne pas de lui...

(*Il lit avec attention et sursaute.*)

Comment!

(*Il relit.*)

Du roquefort et du vin rouge! Et il a fait ça sous mon nez! le cochon! le saligaud! Je suis furieux!

(*Il met la main sur son cœur.*)

Je souffre...

(*Ravi.*)

Mais oui! je souffre!

(*Il se réexcite.*)

Le satyre! l'animal...

(*Cœur.*)

Oh! je souffre magnifiquement! Et il va la rejoindre!...

(*Regarde sa montre.*)

Il est en route! Dans quelques minutes, une étreinte fougueuse va les réunir! Du papier! Du papier! Une plume!

(*Il s'installe fébrilement.*)

Ses lèvres purpurines vont s'écraser sur la bouche juvénile du garçon!

(*Il écrit.*)

Je suis parti pour un chef-d'œuvre!

(*Sonnerie à la porte, il croit que c'est le téléphone.*)

Tu peux retentir, sinistre engin! Pégase m'emporte sur ses ailes de velours largement éployées au vent génial de l'inspiration!

(*Il écrit.*)

Ce n'est pas moi qui te répondrai! Je serai de fer!...

SCÈNE V

ANTOINE, FRANCIS, LUCIE

La porte s'est ouverte et Francis apparaît avec ses bandes. Il va à tâtons au buffet, prend sa tartine et appelle.

FRANCIS

Claude!

ANTOINE (*lève le nez, sursaute*)

Maman!

FRANCIS

Fais-moi manger ma tartine.

(*Il se heurte au porte-parapluies.*)

Espèce de cruche! Tu aurais pu l'enlever!

ANTOINE

Ça parle! C'est vivant!

FRANCIS

Alors, andouille! Tu viens me la faire manger, ma tartine? Où es-tu?

ANTOINE

Hum... à qui ai-je l'honneur...

FRANCIS

Pardon? Ce n'est pas toi, Claude?

ANTOINE

Ici Antoine Bonneau.

(*Francis sursaute.*)

FRANCIS

Antoine Bonneau!

(*Il se remet.*)

Excusez-moi, je suis Francis, son voisin... Vilebrequin n'est pas là?

ANTOINE

Il est sorti un moment...

FRANCIS

Quelle rosse! Qu'est-ce qui va me faire manger ma tartine, alors?

ANTOINE

Je peux vous être utile?

FRANCIS

Écoutez, je ne voudrais pas... Ça me gêne...

ANTOINE

Moi aussi, mais enfin...

FRANCIS

Mais ce n'est pas commode parce qu'il me faut deux mains pour écarter les bandes, et il ne m'en reste plus pour la tartine...

ANTOINE

Mais je vais vous la tenir... Asseyez-vous.

FRANCIS

Je vous dérange, hein!

ANTOINE

Heu... pas du tout, pas du tout!

FRANCIS

Vous êtes un ami de Claude?

ANTOINE

C'est ça... un ami.

FRANCIS

Vous écrivez, hein?

ANTOINE

Comment avez-vous deviné ça?

FRANCIS

J'ai senti l'odeur de l'encre...

ANTOINE

Vous avez senti...

(Il le regarde, l'air soupçonneux.)

Hum!... Asseyez-vous.

(Francis s'assied et lui tend la tartine.)

Merci...

FRANCIS *(écarte son pansement et ouvre la bouche)*

Allez-y!

ANTOINE

Quoi?

FRANCIS

Miam!

ANTOINE

Ah, pardon!

(Il lui pousse la tartine dans le gosier — gémissements inarticulés de Francis.)

FRANCIS *(en bafouillant)*

Pas si loin.

ANTOINE

Quoi?

(Il la retire.)

FRANCIS

Vous allez m'étouffer!

(Il déglutit péniblement.)

ANTOINE

Excusez-moi, je n'ai pas l'habitude.

(*Il lève les yeux au ciel.*)

FRANCIS

Ça vous assomme, hein?

ANTOINE

Mais non! Je suis ravi!

(*Même jeu.*)

FRANCIS

Ne levez pas les yeux au ciel comme ça!

ANTOINE

Je ne lève pas... Oh, zut!

(*Il lui fourre la tartine.*)

Et d'abord, comment savez-vous que je lève les yeux au ciel?

FRANCIS (*avale*)

Je le sens.

ANTOINE

Quoi?

FRANCIS

Je le sens!

ANTOINE

Ah!...

(*Soupçonneux, il lui fait un pied de nez, qu'il répète tout en lui donnant le reste de la tartine.*)

Vous avez dit ça au hasard!

FRANCIS

Pas du tout.

ANTOINE

Je ne vous crois pas.

FRANCIS (*lui fait un pied de nez*)

Ah, bon... Libre à vous.

(*Antoine, vexé, se détourne.*)

ANTOINE

C'est tout?

FRANCIS

C'est tout.

ANTOINE

Rien d'autre pour votre service?

FRANCIS

Merci... je me sens mieux.

ANTOINE

Parfait.

FRANCIS

Remettez-vous au travail.

ANTOINE

Au tra... Quel travail, d'abord?

FRANCIS

Votre roman.

ANTOINE

Vous saviez...

FRANCIS

Non. J'ai senti l'encre...

ANTOINE

Oh! vous m'exaspérez!

FRANCIS (*amer*)

C'est mon infirmité...

ANTOINE

Bon. Eh bien, j'écris volontiers dans la souffrance...

FRANCIS

C'est assez courant...

ANTOINE (*piqué*)

Ah? bon. Mais de là à me complaire sous le sarcasme!

FRANCIS

Fus-je donc sarcastique?

ANTOINE

Certes!

FRANCIS

Je m'en excuse. Les malades sont volontiers irritables.

ANTOINE

Oh, il est possible que moi-même...

(*Un temps.*)

Vous connaissez bien Vilebrequin?

FRANCIS

Heu... comme ça... c'est un voisin.

ANTOINE

Ah.

FRANCIS

Au fait... il était seul, tout à l'heure?

ANTOINE

Oui.

FRANCIS

Et quelle impression vous a-t-il faite?

ANTOINE

Vous savez, je l'ai vu aujourd'hui pour la première fois, c'est un peu court!

FRANCIS

Tiens.

ANTOINE

C'est l'amant de ma femme.

FRANCIS (*furieux*)

Oh! Le salaud!

ANTOINE

Merci!... mais calmez-vous, ça ne me gêne pas...

FRANCIS

C'est infect! Oh! l'ignoble individu!

ANTOINE

N'est-ce pas! Mais enfin, c'est grâce à lui que je souffre!

FRANCIS

Ce n'est pas une raison! L'infâme sagouin!

ANTOINE

Votre colère me touche!

FRANCIS

Mais faites quelque chose!

ANTOINE

Je fais quelque chose! J'écris!

FRANCIS

Pfff!

ANTOINE

Comment, Pfff!

FRANCIS

Vous me révoltez! Vous n'avez donc pas de dignité?

ANTOINE

Mon art passe avant ma dignité!

FRANCIS

Quel mollusque!

ANTOINE

La postérité jugera.

FRANCIS

Ah! là là! Enfin, il vaut mieux voir ça que d'être aveugle!

ANTOINE

Vous qui êtes aveugle — temporairement, je m'étonne que vous preniez ça comme ça!

FRANCIS

Vous me révoltez, vous dis-je!

ANTOINE

La souffrance m'est aussi nécessaire qu'à vous... je ne sais pas, moi, vos tartines!

FRANCIS

Ah, foutez-moi la paix, avec ma tartine! Que d'histoires, pour une malheureuse tartine!

ANTOINE

Mais je ne vous reproche rien...

FRANCIS (*saisi*)

Comment?

ANTOINE

Oui, enfin... vous ne pouvez pas voir ça de la même façon que moi.

FRANCIS

Non... c'est vrai.

ANTOINE

Lucie me trompe; je le sais; et elle sait que je le sais.

FRANCIS

Et vous savez qu'elle sait que vous savez...

ANTOINE

Ça suffisait comme ça. Lucie fait le sacrifice de me tromper.

FRANCIS

Eh bien, merci pour le sacrifice!

ANTOINE

Pourquoi merci?

FRANCIS

Heu... la langue m'a fourché.

ANTOINE

Ah... Bon. Lucie fait le sacrifice de me tromper, car elle sait que la littérature en profite. Enfin, je veux dire qu'elle en profiterait si je n'étais pas tout le temps dérangé...

FRANCIS

Ça, c'est raide! Je m'en vais, mari complaisant — je vous laisse à votre stupre.

ANTOINE

Comment, mon stupre!

FRANCIS

Oui, votre stupre! Misérable! alors que votre femme, que Lucie est peut-être vautrée, à l'heure qu'il est, dans les bras de l'ignoble Vilebrequin qui la couvre de ses baisers visqueux...

ANTOINE

Oh! continuez!

(*Il est en extase.*)

FRANCIS

De ses caresses impures et la contraint à des enlacements lubriques comme ceux d'un bouc...

(*Antoine se précipite à sa table.*)

ANTOINE

Allez-y! Allez-y! Le chef-d'œuvre! Je le sens! Je souffre!

(*Il se met à écrire.*)

FRANCIS

Ils sont nus tous deux et leur chair enflammée par le désir...

ANTOINE

Pardon, y a-t-il deux l à appeler?

FRANCIS

Quoi?

ANTOINE

Je vous demande s'il y a deux l à appeler?

FRANCIS

Mais j'en sais rien!...

ANTOINE

Bon, tant pis. Continuez! C'était formidable!

FRANCIS

Ah, non, je ne peux plus.

ANTOINE

Mais si! La chair embrasée par le désir!...

FRANCIS

Enflammée.

ANTOINE

Oui, oui, ne vous arrêtez pas tout le temps pour des broutilles! Allez!

FRANCIS

Mais je ne peux plus!...

ANTOINE

Un effort!...

FRANCIS

Ah, c'est insupportable, écoute! Tu es toujours aussi embêtant.

ANTOINE

Tu me tutoies?

FRANCIS

C'est vous qui me tutoyez!

ANTOINE

Cette voix, subitement! Il m'a semblé entendre un fantôme...

(*La porte s'ouvre, Lucie entre sans qu'il la voie.*)

Un fantôme lointain, enseveli sous des couches innombrables de souvenirs bigarrés...

SCÈNE VI

ANTOINE, FRANCIS, LUCIE

Elle a paru surprise de le voir, et se décide.

LUCIE

Antoine, ton style ne s'améliore pas!

ANTOINE *sursaute et* FRANCIS *soulagé,*

Lucie!

LUCIE

Qu'est-ce que tu fiches ici, Antoine?

ANTOINE

Eh bien et toi? Tu as dit à Charles que tu rentrais?

LUCIE

Oui, pour qu'il te le répète... mais je ne m'attendais pas à te trouver là...

ANTOINE

Heu... tu permets que je te présente... Francis... hum...

FRANCIS

Francis de Clérambault.

LUCIE

Très heureuse... Et maintenant, vas-tu me dire...

(*Antoine regarde Francis, grimace.*)

FRANCIS

Bon, bon, je sors...

ANTOINE

Ça alors, mais je n'ai rien dit!...

FRANCIS

Votre mâchoire a craqué.

(*Antoine fait une tête.*)

FRANCIS

A tout à l'heure.

LUCIE

C'est ça...

SCÈNE VII

LUCIE, ANTOINE

LUCIE

Qu'est-ce que c'est que cette visite ridicule? Qu'es-tu venu faire ici?

ANTOINE (*désigne ses papiers*)

Eh bien... tu vois... Je souffrais trop. Alors j'en ai profité.

LUCIE

Et de quoi souffrais-tu?

ANTOINE

De ta conduite.

LUCIE

De ma conduite? Où est Claude?

ANTOINE

Chez moi... euh... chez toi... c'est-à-dire chez nous.

LUCIE

Tu as envoyé Claude là-bas?

ANTOINE

Il y a été tout seul.

LUCIE

Antoine, qu'est-ce que tu viens encore de manigancer?

ANTOINE

Rien du tout.

LUCIE

Ne me raconte pas d'histoires. Jamais tu n'as fait une chose pareille. Je ne te comprends plus du tout. Tu as mué.

ANTOINE

J'ai mué?

LUCIE

Oui... tu as changé de peau... ce n'est plus toi.

ANTOINE (*désespéré*)

Alors tu n'as vraiment rien compris?

LUCIE

Rien.

ANTOINE

La date ne te dit rien?

LUCIE

Rien.

ANTOINE

Et la panne non plus?

LUCIE

La panne?

ANTOINE

La panne de carburateurs. La première à la Muette, la seconde au Rond-Point, la troisième à Saint-Lazare.

LUCIE

C'était exprès?

ANTOINE

Naturellement. Pour te rappeler la date!

LUCIE

Alors, tu as cassé la voiture pour me rappeler la date? Tu aurais pu me montrer un calendrier...

ANTOINE

Enfin, Lucie, nous sommes le 12 mai!

(*Il est lugubre.*)

LUCIE

Oui, tu as peut-être raison.

ANTOINE

Nous sommes le 12 mai depuis six jours.

LUCIE

Non, mon coco, depuis ce matin...

ANTOINE

Enfin je veux dire qu'il y a six jours c'était le 6 mai.

LUCIE

Tu comptes mal... c'était le 7... Tu te trompes toujours dans le calendrier.

ANTOINE

Mais le 6 mai, Lucie! Ça ne te dit rien!

LUCIE (*comprend*)

Ah!

ANTOINE

Oui... depuis six mois et six jours, tu couches avec ce Vilebrequin!... tu as oublié la date... tu te rends compte... Pour la première fois depuis seize ans; et depuis six jours, j'attendais que tu te rappelles, alors j'ai pris une décision héroïque... je suis venu le trouver; parce que j'avais compris que tu l'aimais.

LUCIE

Que je l'aimais! Tu ne l'as pas tué, Antoine!

ANTOINE

Mais non... mais non... c'est la concordance des temps, et puis, ne dramatisons pas, six jours sur six mois, ça ne fait jamais plus que du trois pour cent; ce n'est peut-être pas encore la passion. On ne tue pas un homme pour ça!

LUCIE

D'autant plus que ce n'est pas lui que je viens voir depuis six mois.

ANTOINE (*abasourdi*)

Quoi!

LUCIE

Ce n'est pas lui. C'est Francis Lopez.

ANTOINE (*ricane*)

Ça, tu pourrais trouver autre chose... Francis Lopez a disparu de ta vie depuis six mois et six jours; depuis six mois et six jours tu viens voir Claude Vilebrequin.

LUCIE

Depuis six mois, Francis Lopez habitait ici...

(*Elle montre l'endroit.*)

Et depuis six jours, il a été remplacé par Roger de Clérambault.

ANTOINE

C'est peut-être lui que tu venais voir, aussi...

LUCIE

Non. Aujourd'hui c'était Claude.

ANTOINE

Alors tu vois bien.

LUCIE

Mais Claude n'est pas mon amant.

ANTOINE

Et c'est lui que tu venais voir aujourd'hui.

LUCIE

Oui.

ANTOINE

Et ce n'est pas lui que tu venais voir depuis six mois?

LUCIE

Non. C'est Francis Lopez.

ANTOINE

Oh! je deviens fou!

LUCIE

C'est pourtant bien simple! Oh, que c'est ennuyeux tout ça, pourquoi est-ce que tu es venu?

ANTOINE

Quoi! Par exemple!

LUCIE

Demain, tout serait rentré dans l'ordre.

ANTOINE

Demain?

LUCIE

Mais oui, demain, le temps qu'André ait une nouvelle figure.

ANTOINE

André?

LUCIE

André Dupont.

ANTOINE

Quel André Dupont? Tu ne vas pas me dire...

LUCIE

Si, je vais te dire; si, je vais te dire que c'est le même; oh et puis j'en ai assez, je vais tout te dire, parce que tout ça me fatigue! Me fatigue!

ANTOINE

Mais Lucie! C'est toi qui es en faute! C'est toi qui as oublié la date! C'est toi qui n'as pas respecté nos conventions! Depuis dix-sept ans...

LUCIE

Depuis seize ans... je ne t'ai pas trompé la première année.

ANTOINE

Depuis seize ans c'est la première fois que tu oublies, malheureuse! Et ça te fatigue!

LUCIE

Ne me traite pas de malheureuse! Moi je ne demanderais pas mieux que de te rester fidèle; mais le soir où tu es parti chercher des allumettes je ne pouvais pas savoir que ça serait André Dupont qui remonterait à ta place; c'est toi qui as tout manigancé, d'ailleurs je ne me suis pas aperçue de grand-chose... il était troublé.

ANTOINE

Oh! ça a tout de même dû te changer! Il était affreux.

LUCIE

Pas tellement! Et puis la nuit, tu sais, un homme troublé ou un homme qui ne peut pas...

ANTOINE

Je l'avais choisi laid exprès pour souffrir plus.

LUCIE

Merci quand même. Et ensuite tu m'as dit de continuer à changer d'amants parce que tu t'étais habitué à André, que ça ne te faisait plus rien et que tu ne pouvais travailler que dans la douleur.

ANTOINE

C'était parfaitement exact... mais cette fois, tu as été trop loin... ce n'est plus de la douleur, c'est très ennuyeux.

LUCIE

Mais puisque je te dis que c'est Francis Lopez que je vois depuis six mois!

ANTOINE

Je ne te crois pas.

LUCIE

Oh! ça, c'est trop fort!

ANTOINE

Lucie! Calme-toi!

LUCIE

Non, je ne me calmerai pas! D'ailleurs c'est trop injuste, après le mal que je me suis donné pour te faire croire que je te trompais, de me l'entendre reprocher. Eh bien, si tu veux le savoir, je suis la fidélité même; je n'ai jamais changé de mari; ça tu es bien placé pour le savoir, et en outre je couche avec le même amant depuis seize ans!

ANTOINE

Lucie! Mais tu bats la campagne... enfin...

(*Il porte la main à sa poche.*)

J'ai la liste ici même...

LUCIE

Ta liste! Ta liste! Je le sais mieux que toi, n'est-ce pas... et il a eu assez de mal à accepter de changer de nom tous les six mois, ce pauvre André...

ANTOINE

Quel André?

LUCIE

Mais André Dupont, voyons...

ANTOINE

Encore! Allons. Voyons. Calme-toi. Le second s'appelait Raoul d'Andrésy.

LUCIE

C'était André Dupont.

ANTOINE

Mais il était méconnaissable!

LUCIE

Bien sûr... il s'est fait arranger le nez par un chirurgien esthétique... ça m'a coûté assez cher...

ANTOINE

Dis donc, pas trop cher, j'espère...

LUCIE

Ah, je ne me rappelle plus... mais quand on veut un amant différent pour sa femme tous les six mois, il ne faut pas s'étonner d'y mettre le prix... et Barnett, c'était encore André Dupont!...

ANTOINE

Barnett? L'Américain?

LUCIE

Parfaitement... il s'est fait teindre en roux et tailler les oreilles en pointe... ce que j'ai ri... il était furieux...

ANTOINE

Je suis confondu! Mais tu mens! Tu mens! Ce n'est pas possible!... Alors Luis Perenna...

LUCIE

Luis Perenna, ça, alors, ça sautait aux yeux... le malheureux... il était obligé de boire un litre de vin rouge à jeun tous les matins pour se changer la voix... il avait peur que tu ne le reconnaisses!...

(*Elle rit.*)

Ah! Ce que c'était drôle!... Il le faisait passer avec du roquefort...

ANTOINE

Oh!... Quel cochon! Et les autres? Tous les autres... Enfin, Lucie, c'est révoltant! Pas les autres!...

LUCIE

Prends ta liste!... Prends ta liste je te dis!... Vérifie! D'ailleurs, tous les noms sont dans Arsène Lupin...

ANTOINE

Dans Arsène Lupin?

LUCIE

Oui... dans les livres, Barnett, c'est l'Agence Barnett, Luis Perenna c'est l'Ile aux Trente Cercueils, etc., tu ne penses tout de même pas qu'on allait s'esquinter à trouver tous ces noms... Oh! et quand il s'est fait allonger les yeux!

(*Elle s'esclaffe.*)

Soixante mille francs... en 1939.

ANTOINE (*saute*).

Eh bien... pour ce prix-là... il aurait presque pu empêcher la guerre... et tout au moins chercher des pseudonymes plus originaux...

LUCIE

Pourquoi, puisque tu marchais chaque fois? Et puis c'est amusant, Arsène Lupin... toi, tu lis toujours du Claudel.

ANTOINE (*explose.*)

Nom de Dieu! Alors tu vas me dire que depuis seize ans tu me trompes avec André Dupont, sous mon nez! Oh! Courtisane!...

LUCIE

Tu ne t'en es pas aperçu, écoute!

ANTOINE

Naturellement, je ne m'en suis pas aperçu. Au début, il était affreux, et à force de se faire opérer, maintenant il a l'air d'avoir dix ans de moins que moi... alors Marillac, c'est Dupont?

LUCIE

Oui. Mais Marillac, c'est pas dans Arsène Lupin... c'est dans l'annuaire...

ANTOINE

Ah, dans l'annuaire! De mieux en mieux!

LUCIE

Mais tu y es aussi!

ANTOINE

Ce n'est pas une référence! Et Francis Lopez, le peintre mexicain?

LUCIE

Ça, c'est après avoir vu *Andalousie*... André s'est fait teindre en noir et il a acheté une lampe solaire pour se bronzer... il a pelé pendant huit jours!...

(*Elle rit.*)

Oh! Ce qu'on a ri aussi, ce jour-là...

ANTOINE

Et Vilebrequin? Ce n'est tout de même pas Dupont, Vilebrequin? Un nom comme ça... c'est pas possible, André aurait refusé.

LUCIE (*silence*)

... Non... Claude, ce n'est pas André...

ANTOINE

Mais ça y est!... J'ai trouvé...! ça m'a surpris en entrant!... C'est son portrait craché!

LUCIE

Claude? Le portrait d'André?

ANTOINE

Craché, je te dis! J'ai sursauté quand je l'ai vu... c'est ça... c'est André à vingt-cinq ans...

LUCIE (*troublée*)

Tu as peut-être raison... je ne me rappelle plus...

ANTOINE

Comment, tu ne te rappelles plus! Depuis seize ans que tu me trompes avec lui!...

LUCIE

Il a tellement changé, tu sais...

ANTOINE (*main au portefeuille*)

Ah! ça! Je sais ce que ça me coûte! Le saligaud!... En tout cas, Vilebrequin est le portrait d'André Dupont à vint-cinq ans... il était affreux...

LUCIE

Il n'était pas affreux du tout!...

ANTOINE

Je préfère dire qu'il était affreux... pour le premier, c'est moins vexant...

LUCIE

Mais c'est toi qui me l'avais présenté!...

ANTOINE

Oui... ça, je reconnais que c'est moi...

LUCIE

D'ailleurs c'est pour ça que je n'ai jamais cherché personne d'autre...

ANTOINE

Parce que c'est moi qui te l'avais présenté?

LUCIE

Oui... il me venait de toi... j'avais moins l'impression de te tromper...

ANTOINE

Ça, c'est gentil... mais puisque j'étais d'accord?

LUCIE

Antoine... écoute!... ça me gênait tout de même... et tu sais... non, je n'ose pas le dire, c'est ridicule...

ANTOINE

Allons, dis-le...

LUCIE

Si ça ne s'était pas passé comme ça... dans le noir... Antoine... je crois que jamais je n'aurais...

ANTOINE

Quoi?

LUCIE

Non, Antoine... tu sais, je n'y tenais pas tellement... j'avais vingt et un ans et, à cet âge-là, on est plus sentimentale que sensuelle...

ANTOINE

Alors si je n'avais pas envoyé André...

LUCIE

Si tu n'avais pas mis André dans mon lit... non, je ne t'aurais jamais trompé.

ANTOINE (*atterré*)

Oh!... alors tout ça, c'est ma faute!...

LUCIE

Naturellement, depuis, bien sûr, j'ai appris à trouver ça agréable... mais je lui suis restée aussi fidèle qu'au premier jour... parce qu'il me venait de toi...

ANTOINE (*gros effort sur lui-même*)

Bon... Eh bien ne revenons pas sur le passé... ce n'aurait été que partie remise; j'accepte la responsabilité de mes actes; c'est moi qui t'ai mise en rapport avec André! Mais ce n'est pas moi qui t'ai mise en rapport avec cet affreux Vilebrequin avec qui tu couches depuis six mois.

LUCIE

Mais puisque je te répète que c'est Francis Lopez et que Vilebrequin n'était qu'un prête-nom!... et puis... c'est presque pareil... c'est André qui me l'a présenté...

ANTOINE

André! C'est complet! il me fait ça, à moi! Lui! Le salaud!

LUCIE

Antoine, je t'en prie, mon lapin gris...

ANTOINE

Ah! non! Pas gris! C'est lugubre! Mais tes amants, c'est moi que ça regarde! De quoi se mêle-t-il, André!

LUCIE

Écoute, il n'y est pour rien!

ANTOINE

Et d'ailleurs, ça m'étonne! André est jaloux comme un tigre!

LUCIE

Il ne s'en est pas aperçu, avec ses pansements.

ANTOINE

Quoi! L'homme aux pansements, c'est André!

LUCIE

Oui... il vient de se faire opérer pour la trentième fois...

ANTOINE (*illuminé*)

Et il va s'appeler Roger?

LUCIE

Oui! Roger de Clérambault... ça, c'est dans les œuvres complètes de Ponson du Terrail... mais tu ne lis que Montherlant...

ANTOINE

Mais alors, ce Vilebrequin, tu ne... heu... tu ne... que depuis six jours?

LUCIE

Oui... Je me tue à te le dire...

ANTOINE

Tu l'as rencontré chez André? Chez Francis? Je veux dire chez Roger! Oh, zut, je m'y perds... Enfin, tu l'as rencontré chez lui et vous avez profité de ce qu'il avait la tête couverte de pansements, le malheureux, pour abuser de la situation! Oh! c'est indigne!... Mais laisse-moi compter... Mais alors, si c'est Francis que tu venais voir, ça fait un an avec Francis!... Oh!

(*Il s'effondre.*)

Ma tête...

LUCIE

Mais puisque c'est toujours André, mon écureuil sauvage, ça fait bien plus d'un an!...

ANTOINE

Et Claude, ce n'est pas André! Tu es sûre?

LUCIE

Absolument sûre!

ANTOINE

Mais comment se sont-ils connus, André et Claude?

LUCIE

Eh bien, il y a six mois, André en avait assez de se faire opérer de nouveau... tu sais, j'ai du mal à le persuader, et il commence à ne plus savoir quelle tête se faire, alors il est venu s'installer chez Claude, un jeune décorateur qu'il connaissait vaguement, et nous t'avons fait croire que je te trompais avec Claude. Et puis ça a marché six mois comme ça, mais la dernière opération a raté!

(*Elle éclate d'un fou rire.*)

Figure-toi, c'est tellement drôle! Il a voulu se faire remodeler le front... une greffe osseuse, je ne sais pas quoi...

(*Elle se tord.*)

ANTOINE

Et alors?

LUCIE

Il lui pousse une corne! Mais tu sais, une corne énorme! Il a l'air d'une licorne! Et il est furieux! Ce que c'est drôle!

ANTOINE (*commence à se marrer doucement*)

Effectivement... c'est assez gai... et c'est pour ça, le pansement?

LUCIE

Oui... c'est pour cacher la corne!

ANTOINE

C'est très drôle!

(*Il se met à rigoler. Apparaît Francis.*)

SCÈNE VIII

LUCIE, ANTOINE, FRANCIS

FRANCIS

A la bonne heure! Au moins, ici, on s'amuse!

ANTOINE (*à Lucie*)

Et tu me dis que c'est André, ce truc-là?

LUCIE

Oui, c'est André...

ANTOINE

Eh bien... ça me fait quelque chose quand même...

FRANCIS

Ne vous gênez pas... continuez... ce truc-là! Ma parole!

ANTOINE

Allez, c'est pas la peine de tourner autour du pot...ça me fait quelque chose... André Dupont! Mon premier copain!...

FRANCIS (*ému*)

Antoine...

ANTOINE (*ému*)

Lucie m'a tout dit...

FRANCIS (*ému*)

Je sais, j'ai tout écouté à la porte.

ANTOINE (*ému*)

Tu es un salaud!

FRANCIS (*ému*)

Et toi, tu es un dégueulasse...

ANTOINE

Mais je suis content de te revoir. Un copain, ça fait quand même quelque chose.

FRANCIS

Au bout de seize ans...

ANTOINE

Eh, oui... Seize ans de douleur.

FRANCIS

Oui... Seize ans de douleur.

LUCIE

Eh bien, merci...

ANTOINE

Oui, écoute, André, tu ne devrais pas dire ça...

FRANCIS

Ah, là là... bien sûr... mais je pensais aux opérations...

ANTOINE

Trente et une opérations... mon pauvre vieux...

FRANCIS

Trente... l'avant-dernière, je me suis dégonflé...

ANTOINE

Est-ce que ça fait très mal?

FRANCIS

Ce n'est pas que ça fasse tellement mal, mais à la longue, c'est lassant...

ANTOINE (*déçu*)

Ah, dommage...

FRANCIS

Toi, ça te fait rigoler.

ANTOINE

Tu sais, c'est involontaire... le comique de répétition.

FRANCIS

Mais ça fait assez mal, tu sais...

ANTOINE

Oui... mais ce n'est jamais qu'une douleur physique, au fond...

FRANCIS

Ah, moi ça suffit déjà à m'occuper...

ANTOINE

Et alors, la dernière a raté...

FRANCIS (*sombre*)

Oui...

ANTOINE

Et il te pousse une corne...

(*Il se marre.*)

FRANCIS

Ça n'a rien de rigolo... c'est à toi que ça aurait dû arriver..

ANTOINE

Comment, à moi?

FRANCIS

Ben, oui, c'est toi qui l'es, c'est pas moi...

ANTOINE

Et Vilebrequin, alors?

FRANCIS

Oh, nom de Dieu! C'est vrai! Le salaud!

ANTOINE

Ah, n'y pense plus, va... on s'y fait!

FRANCIS

Ah! non!

ANTOINE

Mais si, je t'assure!

FRANCIS

Tu en parles à ton aise, toi! On voit bien que tu as eu un accident de chasse!

ANTOINE

Bon, bon... ne me rappelle pas ça. En tout cas, moi, je me suis fait une raison... Ça a été dur, mais je n'y pense plus...

(*Il le regarde.*)

Au fond, je suis content de te revoir... c'est-à-dire, de te retrouver, parce qu'en réalité je ne suis pas encore bien sûr que ce soit toi.

FRANCIS

Je te garantis que c'est moi!...

ANTOINE

Ce vieil André!

(*Il lui tape sur l'épaule.*)

FRANCIS

Ce brave Antoine!

(*Il lui fout un grand coup sur la tête.*)

Oh! Excuse-moi...

ANTOINE

Ce n'est rien... tu n'y vois pas, mon pauvre ami!

(*Pendant tout ce temps, Lucie, morne, tournicote dans la pièce, ouvre un livre, s'assied, se relève, etc.*)

Allez! On va boire un coup pour arroser ça!

FRANCIS

Un coup de quoi?

ANTOINE

Un coup de rouge! Avec du roquefort...

(*Bourrade.*)

... espèce de Casanova!

FRANCIS (*ricane bêtement*)

Allons-y!

(*Antoine va prendre les verres, etc., et ils trinquent.*)

Et Lucie!

ANTOINE

Lucie! Viens donc boire avec nous!

LUCIE

Merci, non.

ANTOINE

Allons! Puisque tout est arrangé!

LUCIE

Tout est arrangé?

ANTOINE

Mais oui, voyons...

(*Elle a un pauvre sourire et prend le verre qu'il lui tend.*)

ANTOINE

A la santé de la corne d'André!

FRANCIS

Affreux crétin!

(*Antoine rit, ils boivent. Entre, au fond, Claude, qui les regarde, écœuré.*)

SCÈNE IX

CLAUDE, LUCIE, ANTOINE, FRANCIS

CLAUDE (*très Comédie-Française*)

A la bonne vôtre!

(*Lucie, de saisissement, laisse tomber son verre.*)

LUCIE

Claude!

(*Elle a un geste pour s'approcher de lui, mais sa froideur la démonte.*)

CLAUDE

Claude, ni plus ni moins... mais je trouble cette réunion de famille!

ANTOINE

Pas du tout, pas du tout... Simplement, nous ne vous attendions pas... mais tout est arrangé... Prenez donc un verre, vous êtes ici chez vous...

CLAUDE

Je sais... par contre, vous, vous êtes ici chez moi... et je vous prie de foutre le camp.

FRANCIS

Allons, Claude...

CLAUDE

Toi, ta gueule...

(*Sursaut de Francis, choqué.*)

Allez!... Filez, tous les trois...

LUCIE (*aux autres*)

Antoine, laisse-nous... André... vous voulez sortir cinq minutes... vous serez gentil...

CLAUDE (*faiblit*)

J'ai dit tous les trois!...

LUCIE

Ce qui signifie que vous me rendez responsable au même titre que ces deux-ci.

CLAUDE

Je vous en prie... Laissez-moi...

(*Lucie pousse les deux autres dehors.*)

ANTOINE (*ravi*)

Ah! je vais recommencer à souffrir... mon manuscrit.

(*Il le prend au vol.*)

FRANCIS (*furieux*)

Espèce de crétin!...

(*Il sort, bousculé, et se prend dans le porte-parapluies.*)

Sacredieu!...

SCÈNE X

LUCIE, CLAUDE

Un silence.

CLAUDE

Alors? Qu'est-ce que vous voulez? Vous justifier?

LUCIE

Me justifier de quoi? D'avoir couché avec vous?

CLAUDE (*démonté*)

Ce n'est pas ça que je veux dire.

LUCIE

Je vous écoute...

CLAUDE

Charles m'a mis au courant de tout.

LUCIE

Le chauffeur?

CLAUDE

Oui... le chauffeur. Figurez-vous que je me sens parfaitement à l'aise avec les chauffeurs...

LUCIE

On le dirait.

CLAUDE

Il s'est fait un peu tirer l'oreille, mais il a fini par manger le morceau.

LUCIE

Fort bien.

CLAUDE

Alors?

LUCIE

Alors quoi?

CLAUDE

Pour quelle raison êtes-vous restée seule avec moi?

LUCIE

Parce que je vous voyais d'humeur à chercher la bagarre.

CLAUDE (*ricane*)

Et vous aviez peur d'un scandale...

LUCIE (*douce*)

Non. J'avais peur que vous ne preniez un mauvais coup.

CLAUDE

J'oubliais. Ceinture noire, etc. Merci de l'attention. Mais je sais me défendre.

LUCIE

Ça ne m'aurait pas fait plaisir de vous voir vous battre.

CLAUDE

Tiens? Je croyais que les femmes adoraient voir les hommes se battre.

LUCIE

Il y a longtemps qu'Antoine n'est plus un homme. Et ce sont certaines femmes seulement qui aiment ça.

CLAUDE

Nous tournons en rond. Pourquoi avez-vous fait sortir Antoine et Francis... heu... je veux dire Roger... zut...

LUCIE

Il s'appelle André. Pourquoi j'ai voulu qu'ils sortent? Pour rester seule avec vous. Une dernière fois.

CLAUDE

Une dernière fois...

LUCIE

Oui... la dernière fois...

(*Silence.*)

Et pour me justifier... aussi.

CLAUDE (*ému*)

Vous n'avez rien besoin de me dire.

LUCIE

Si... je voulais vous dire que j'aimais bien tout ça...

CLAUDE

Tout ça?...

LUCIE

Nous deux... notre rendez-vous...

CLAUDE

Notre unique rendez-vous.

LUCIE

Le nombre ne fait rien à la chose...

CLAUDE

Merci, Lucie...

LUCIE

Seize ans déjà que je menais cette vie idiote... Grâce à vous, je me retrouve à zéro... les seize ans sont finis.

CLAUDE

Lucie... pourquoi on ne recommence pas ensemble...

LUCIE

Je suis trop vieille.

CLAUDE

Idiote!

LUCIE

Gentil Claude... pour moi, ce n'est pas un vrai commencement... c'est le commencement de la suite...

CLAUDE

Mais pas pour moi...

LUCIE

Quand on se met à aimer, on ne peut pas s'imaginer que l'autre a déjà eu une vie... mais vous avez votre vie... et il y a Antoine et André...

CLAUDE

Ce sont des fantoches.

LUCIE

Pauvre Antoine... ce n'est pas sa faute.

CLAUDE

Et André, ce n'est pas sa faute non plus, peut-être?

LUCIE

André... il a fait ça autant pour Antoine qu'à cause de moi... Il adorait Antoine.

CLAUDE

Mais vous, Lucie, est-ce que vous méritiez ça?

LUCIE

Est-ce que je sais, moi?

CLAUDE

Lucie... Restez avec moi...

LUCIE

Comment ça? C'est impossible.

CLAUDE

Restez avec moi maintenant... tout le temps...

LUCIE (*baisse les yeux*)

J'aimerais bien.

CLAUDE

Qu'est-ce qui vous empêche?

LUCIE (*hausse les épaules*)

Des conventions idiotes...

CLAUDE

Idiotes, vous le dites vous-même... à cause de l'infirmité accidentelle de votre mari, vous voilà liée depuis des années à un homme que vous n'aimez pas, et vous trouvez ça correct?

LUCIE

Je n'ai pas dit que c'est correct, ni que c'est normal... ce qui compte, ce n'est pas les conventions, c'est de les respecter...

CLAUDE

Oui... eh bien on fera comme si ça ne comptait pas.

LUCIE (*suppliante*)

Claude...

CLAUDE

Lucie, c'est un service à rendre à Antoine...

LUCIE

Un service?

CLAUDE

Il s'imaginait que vous changiez d'amant tous les six mois, il apprend que ce n'est qu'une illusion; le malheureux, ça va lui couper l'inspiration!

LUCIE

C'est vrai...

CLAUDE

Songez que si nous partons ensemble, il va souffrir énormément...

LUCIE

Ça, c'est sûr.

CLAUDE

Il sera ravi!

LUCIE

Oui, mais André?...

CLAUDE

Ah! zut pour André! Qu'il cultive sa corne!

LUCIE

Vous êtes méchant.

CLAUDE

C'est ça! C'est moi qui suis méchant... J'étais là, je ne gênais personne... j'avais une vie simple, peut-être, mais tranquille... je faisais mon petit travail; et puis pour rendre service à Francis... non, à Roger... Oh, zut! à André, enfin, je lui prête une chambre... et tous les jours, il faut que je supporte de vous voir, vous, Lucie, une femme comme vous, venir le retrouver... Ah, non, c'est trop dur! Et c'est moi qui suis méchant! Mais alors, vous, vous êtes des monstres!

LUCIE

Une femme comme vous! Mais ouvrez les yeux... regardez-moi! Qu'est-ce que j'ai...

CLAUDE

(*la regarde, elle se laisse regarder, un peu coquette*)

Vous avez une sale gueule, les pieds plats, le nez en pied de marmite et l'œil torve, et moi j'aime ça! Là! Vous êtes contente!

LUCIE (*se serre contre lui*)

Encore des compliments!

CLAUDE

Vous êtes mal foutue (*il l'embrasse*), bancale (*il l'embrasse*). Vous avez besoin de vous laver (*il l'embrasse*). Vous devriez vous habiller chez Prénatal (*il l'embrasse*) et... oh! Lucie!... Pars avec moi...

LUCIE

Quand?

CLAUDE

Maintenant.

LUCIE

Comment?

CLAUDE

Dans ma voiture. Parfaitement. J'ai une voiture. Une cinq chevaux Citroën. Elle n'a que vingt-sept ans. Un bébé.

LUCIE

Où est-elle?

CLAUDE

En bas dans la rue. Elle est jaune clair.

LUCIE

Mais je ne peux pas partir comme ça! Sans prévenir Antoine!

CLAUDE

Il vous a prévenue le jour où André Dupont est remonté à sa place?

LUCIE

Non.

CLAUDE

Vous serez quittes.

LUCIE

Mais alors, il faut que je lui envoie aussi quelqu'un pour me remplacer...

CLAUDE

Et André? On lui laisse André. Il peut bien servir aux deux.

LUCIE

Mais Antoine va s'affoler...

CLAUDE

Descends et installe-toi dans la voiture. Je me charge du reste. Allez! Allez!...

(*Il la pousse.*)

LUCIE (*l'embrasse*)

Oh! J'adore ça!...

CLAUDE

Va!...

SCÈNE XI

CLAUDE, *seul*, *puis* BONNEAU

CLAUDE

Lequel... Lequel des deux vais-je prévenir! Pile ou face? Peut-être. Pile, c'est Antoine, face c'est Francis... non, Roger... oh, zut, André...

(*Il tire.*)

Face!... eh bien tant pis, je préviens Antoine quand même...

(*Il va à la porte.*)

Allez... décide-toi...

(*Il ouvre la porte.*)

Monsieur Bonneau, voulez-vous venir une seconde?

(*Francis se montre.*)

Non, pas toi, si ça ne te fait rien.

(*Antoine entre.*)

FRANCIS

Oh bon! Bon, très bien!

(*Il redisparaît.*)

CLAUDE

Monsieur Bonneau, ce que j'ai à vous dire va vous troubler.

ANTOINE

Ah! Parfait!

(*Il se frotte les mains.*)

CLAUDE

Monsieur Bonneau, je m'en vais avec Lucie.

ANTOINE

Bon. Vous avez droit à cinq mois et vingt-quatre jours.

CLAUDE (*interloqué*)

Comment?

ANTOINE

Mais oui. J'ai tout combiné pendant que j'attendais là-bas. Vous ne couchez avec Lucie que depuis six jours.

CLAUDE

Oui...

ANTOINE

Comme, selon nos conventions, Lucie doit changer d'amant tous les six mois. vous avez encore cinq mois et vingt-quatre jours. Je ne m'en dédis pas.

CLAUDE

Oh, je saisis. Monsieur Bonneau, je ne suis pas d'accord.

ANTOINE

Mais si, mais si... c'est une règle irréfragable. De la souffrance, soit; mais pas de complexe d'infériorité.

CLAUDE

Je ne suis pas d'accord tout de même.

ANTOINE

On est toujours d'accord avec moi, rappelez-vous... ceinture noire... ouille!

(*Il se plie en deux sous le coup de poing de Claude.*)

CLAUDE

Ouf! Ça soulage.

(*Antoine se tortille sur le divan.*)

ANTOINE

Oh! Quel sauvage!

CLAUDE

Monsieur Bonneau, je regrette, mais ça m'a fait le plus grand bien. Je m'en vais avec Lucie. Ça durera ce que ça durera. En tout cas, plus de six mois si ça ne dépend que de moi-même. Faites ce que vous voudrez, portez plainte, demandez le divorce, pendez-vous; je vous conseille d'écrire un chef-d'œuvre, ça vous occupera.

ANTOINE

C'est bien mon intention... Ouille, mon estomac...

CLAUDE

Au revoir!

ANTOINE

Envoyez un mot de temps en temps, au moins... pour aviver ma douleur.

CLAUDE

Vous pouvez vous l'accrocher. Salut!

(*Il sort.*)

SCÈNE XII

ANTOINE, ANDRÉ

ANTOINE

André! André!

FRANCIS

Oui!

ANTOINE

Ils sont partis!

FRANCIS

Lucie!

ANTOINE

Lucie et Vilebrequin!

FRANCIS

Oh! les misérables!

(*Il se précipite et atterrit sur le porte-parapluies.*)

Sacredieu! Mais fais quelque chose!

ANTOINE

Pourquoi?

FRANCIS

Mais c'est dégoûtant!

ANTOINE

C'est ce que tu me fais depuis seize ans.

FRANCIS

C'est pas pareil! Moi, c'est la première fois!

ANTOINE

Tu souffres?

FRANCIS

Oh! je suis furieux.

ANTOINE

Souffre donc, c'est tellement mieux!

FRANCIS

Lucie! Me faire ça à moi!

ANTOINE

Ça, tu l'es!

FRANCIS

Oh!

ANTOINE

Les cornes! Les cornes!

FRANCIS

Oh, je t'en prie! C'est d'un goût! Quoi! ils sont ensemble, elle l'embrasse, elle l'étreint...

ANTOINE

Mon papier! Ça va venir! Continue!

FRANCIS

Dans un délire de passion ravageuse, elle s'accroche à son torse mâle!

ANTOINE

Merveilleux! dis, y a deux m à ramasser?

FRANCIS

Non!

ANTOINE

Eh bien, tu ne sais pas l'orthographe! Continue!

FRANCIS

Les mains velues de Vilebrequin sur les frêles épaules de Lucie!...

ANTOINE

Vas-y! Vas-y!

FRANCIS

Elle entrouve ses lèvres de grenade!...

ANTOINE

Ah, c'est formidable! André, grâce à toi, je tiens le chef-d'œuvre. Parle! Parle!...

FRANCIS

Quelle horreur! leurs membres enchevêtrés fument dans l'air moite!...

ANTOINE

Et tu sais, André, mon prix Goncourt, eh bien, je le partage avec toi!...

FRANCIS

Oh!...

(Il se flanque dans le porte-parapluies.)

Encore!

ANTOINE

Encore! Encore!

(Il écrit fiévreusement.)

Quel chef-d'œuvre!...

(Le rideau choit, écœuré.)

SÉRIE BLÊME

1952

Tragédie en trois actes et en vers

PERSONNAGES

James MONROE, *petit frère de Marilyn.*
MACHIN, *son domestique, muet à siphon.*
FACTEUR, *fonctionnaire rural et débonnaire.*
PILOTE, *d'un avion de ligne.*
HOTESSE, *de l'air.*
MARTHA, *voyageuse en paste dentifrice.*
JONAS, *voyageur idem.*
TITAN, *situation analogue.*
ROBUR, *occupation identique.*
COCCYX, *emploi comparable.*
1er GUIDE, *vaillant défricheur de poudreuse.*
2e GUIDE, *l'accompagne.*
1er POLDÈVE, *soldat de l'armée de l'O. N. U.*
2e POLDÈVE, *de même, également en manœuvres.*

ACCESSOIRES

Bruit d'un avion, coutelas, corde, polochon, trousse du parfait criminel, et rythme solennel des alexandrins de choix, y compris divers autres éléments, dont les croix noires, et le suspense.

DÉCOR

Chalet de montagne très isolé. Par la grande baie, cirque majestueux. Ciel un peu sombre. Il va neiger, sol dallé noir et blanc. Cheminée, accès à volonté, table, placard vaste. Poutres praticables en surplomb d'un vide, sur l'escalier intérieur, qui comporte un petit palier.

ACTE PREMIER

SCÈNE PREMIÈRE

Apparaissent Machin et James Monroe, lourdement chargés de valoches.

JAMES MONROE

Machin, c'est le jourdé le moins toc de ma vie
Je satisfais enfin ma glandilleuse envie
De venir m'entifler dans ce coinstrot perdu
Pour y fuir tout un tas de pauvres lavedus
Oui, rien qu'à reluquer les blancs lolos de l'Alpe
Je suis près de guincher une java du scalpe.

MACHIN (*muet*)

Hm (1)...

JAMES

Mais tu es muet, mon adjuteur fidèle
Ah, ma boule à vrai dire est pleine de ficelle
J'ai tant marné depuis des berges révolues
Que je dois m'enfiler du sirop de tolu
Va, Machin, m'en quérir un bon guindal solide.

(*Machin ouvre une des valises. James se tapote le ventre.*)

(1) En une syllabe, évidemment.

Un bon tolu loirfé, rien de tel pour le bide.

(*Il regarde autour de lui.*)

Oh, cambrousse où ne pousse à jamais que la neige
Où s'il veut décarrer sans son cachepif beige
Le cave peut canner plus raide qu'un bâton
Cirque majestueux que ma frite à tâtons
Décarpille, timide, ô tarte solitude,
Malgré tes 45 degrés de latitude
Que ta frigidité m'est chouette à matouser.

(*Machin lui donne le tolu, il boit.*)

Ouf! Aussi sec je sens ma force décupler
Neige divine, esgourde un peu quand je débloque
A Paris je vivais la vie d'un pauvre vioque
Je pondais des romans comme on fait la putain
J'en gambergeais plus d'onze à chaque marquotin
Simenon pâlissait là-bas dans l'Amérique
Et Simenon, papa, n'est pas beurre de bique
Lourdé, borgnio, lourdé, jalmince assoiffé d'encre
Gallimard me bouffait la prose comme un chancre
Et pour chaque soleil qu'il affurait sans mal
Me cloquait cinq pour sang d'un geste seigneurial
Les nanas s'enquillaient chez moi; car la ligote
C'est par leur fort, mais moi, le coup dans l'échalote
C'est mon faible, et j'aimais assez la pastiquette
Avec une lloumi le soir sur ma carpette
Ajoute à ce toutim une frite agréable
Et ces fréquentations bien peu recommandables
Que l'on fade aux cocktails de ces fions d'éditeurs...
Oui, Machin, la bagouse a tant de supporteurs
Que si j'avais ouvert ma lourde à leurs manières
La bicyclette aurait entiflé mes arrières.

(*Il s'aperçoit que Machin reste les bras ballants.*)

Te voilà dans la vape et ton travail attend
Déballe donc, Machin, déballe en esgourdant

(*Machin commence à déballer.*)

Un jour plus tartouzard que tous les autres jours

Je me lève à la caille et les arpions tout gourds
Afin de liquider mon trentième chapitre.
Mon héros gorgeonnait du raisiné par litres
Je me dis — mais sans char, Monroe, tu deviens dingue!
Lorsque soudain, par la fenêtre du burlingue
Je gaffe le reluit comme une pomme noire
Machin, j'aurais voulu que tu bigles ma poire.
Je m'écrie Fatima, je tombe à deux genoux
Ce qui me fait très mal, je baisse mon burnous
Mais la vision mastarde éclate dans mon crâne
Et j'ai beau me filer des gnons sur l'olécrane
Et me pincer Pétrus à travers ma limace
Le miracle s'achève au milieu de la strasse
Et me voici.

MACHIN (*étonné*)

Hm hm?

JAMES

Me voici, je te dis.
Et j'ai quitté Panam, j'ai jeté l'interdit
Sur un passé minable et quelque peu bibope
J'ai balancé la largue et j'ai viré la lope
Oh, ce ne fut pas long! Figaro Littéraire
Planquée sans son mitar, l'annonce lapidaire :
« Dégouré par la ville, un écrivain chenu
Cherche à cent lieues de tout un cornère inconnu »
Les bafouilles pleuvaient — J'en ai bien morflé quatre!
En ce castel de choix, je vais pouvoir m'ébattre!
Machin, songes-y donc! Un bus par marquotin
Quand il fera lauchem — Et l'hiver, un sur vingt
Pas un gadgo vivant sur cent dix kilomètres
Saveulavabraveux, le larbin et son maître
Mais je jacterai seul, car c'est ce qui me plaît
Et tu m'esgourderas, mon serviteur muet...
Sans pouvoir me bonir le moindre boniment
Brave Machin...

MACHIN

Patron, vous débutez perdant.

JAMES

Quoi, tu causes?

MACHIN

Je veux.

JAMES

Mais qui te l'a permis?
Mon rêve de java serait donc compromis?

MACHIN

Ne craignez rien, patron car c'est un mal étrange
Dont je souffre parfois — j'avoue que ça me change —
Sachez qu'il est une île où du sein de la terre
Montent parfois des eaux dans un bruit de tonnerre
Pointant jusques aux cieux, de grands phallus liquides
Dardent à l'infini leurs écumes torrides
Et puis toc! d'un seul coup, Toto rentre au bercail
Ces geysers, puisqu'il faut en venir au détail
Ont un fâcheux côté.

JAMES

J'entrave. Dans l'instant...

(*Geste de tourner le robinet.*)

MACHIN

Vous l'avez dit, mon maître, ils sont intermittents.
Ainsi moi, par moments, je deviens volubile
La parole, d'un coup, me semble si facile
Que je réciterais sans en omettre un mot
Cinq tomes successifs de l'Almanach Vermot
Ou l'œuvre tout entier de monsieur Jules Verne.

JAMES

Tu ligotes, mon mec, d'étranges balivernes

MACHIN (*pressé*)

Ne m'interrompez pas, patron, car je le sens
Mon geyser ne va pas durer plus d'un moment.

JAMES

Tu me chambres?

MACHIN

Patron, ne soyez pas si rosse
Je souffre de ce mal depuis que je suis gosse
Et quand je puis enfin déchaîner mon sphincter

(*Geste choqué de James — Machin désigne sa bouche.*)

Non,... c'est ce muscle équidistant des masséters...
Quand je sens l'air soudain se charger de substance
Les mots jaillir de moi comme de la laitance
Quand je sens que je puis, au gré de mon désir
Évoquer Fernandel ou le manteau d'Aesir
Quand je puis appeler sans en oublier une
De Manon la rouquine à Coralie la brune
Les onze cents catins de mon Yoshiwara
Quand je sais que je vais nommer le rémora
Le cœlacanthe, ou l'orchidée périphérique
Qui pond ses œufs l'hiver dans un arbre de briques
Le poulouc, ce sournois serpent siffleur de Sfax
Qu'il suffit de sucer pour avoir un anthrax
Le clinamen, Faustroll et la machine à peindre
Le patron boulanger qui violente son geindre
Le père Dupanloup sur l'amère Picon
La partie de tennis Drobny contre Ducon,
Et tous ces purs joyaux du théâtre français
De Bernstein à Roussin, de Létraz à Musset
Beckett et les travaux de Poinçon et Wattmann,
Ionesco, positif autant qu'un Wassermann,
Audiberti, superbe en son nuage obscur,
Brecht au cœur en étoile, Adamov à l'œil pur,
Ah mon maître, je vol...

(*Il s'arrête net.*)

JAMES

Enfin! le robinet!
Ça te pravend souvent?

(*Signe dénégatif de Machin.*)

Débloquons-le tout net
Même s'il te revient le don de la jactance
Déconne, s'il te plaît, là-bas dans la cuistance
Pour ma part, j'en ai class

(*Il le congédie.*)

Décarre à ton turbin.

(*A part.*)

J'aurai dans l'avenir pour laquais des bourrins
Eux boniront que nib.

MACHIN (*digne*)

Ils feront Houin! Houin! Houin!

(*Il sort.*)

JAMES (*écœuré*)

Et c'était un jourdé qui démarrait si bien!

(*Il se remet à examiner son nouveau logis, va d'un endroit à l'autre, fredonnant et s'immobilise devant la baie.*)

Je suis dans le potage à voir cette blancheur

(*Il pense.*)

Et je ne sais pourquoi je gamberge à ma sœur
Devant ces beaux roberts doucement arrondis
Frangine Marilyn... Hollywood te perdit...

(*Il regarde la fenêtre.*)

Mais qui va là? Crénom! Le trèpe ici ralège?
Alors c'est donc du quès quand on est dans la neige?

(*Il va à la porte et l'ouvre.*)

J'en aurai le cœur net!

(*A la porte.*)

T'entifles-tu, manant?

FACTEUR

(*entre, s'essuie et tape ses pieds neigeux*)

C'est le courrier, monsieur... Je passe une fois l'an
Qu'il y ait grève ou non!

JAMES

Qu'une fois? Qu'une seule?

(*Se frotte les mains.*)

Affranchis-moi, l'ami...

(*Le regarde.*)

Hum... Une bonne gueule...
Esgourde. On m'a fourgué la placarde fort lerche
Parce que fort seulabre. Alors, faut-il qu'on cherche
Du suif à son tôlier?

FACTEUR

C'est la vérité pure
Vous vivrez comme un loup dans la belle nature
Pour moi, je suis perclus, je trouve ça trop loin...
J'aime bien siroter mon jus chaque matin
Accoudé sur le zinc du père Chaprougnoux (1)
Avec tous mes copains... voilà, je dois vous dire
Qu'en dehors de facteur, je fais le cachemire
Et que...

JAMES

Ne moufte plus. Magne-toi le crachoir.
Des bafouilles?

FACTEUR

Mais non, moi je voulais vous voir
Pour signaler qu'hélas, il n'y en avait point
Je ne reviendrai pas avant l'hiver prochain
Je suis passé vous prévenir

JAMES

J'en avais quine,
Mais si c'est pas du pour, papa, ça me rambine
Une longue durant, je ne te marde plus?

(1) Le nom de ce patron de bistrot aurait pu être choisi pour les besoins de la rime. Il n'en est rien puisque l'alexandrin est resté blanc, aussi bien dans la version démotique (en pure langue française de tout le monde) que dans la version hiératique en argot qui est la version définitive publiée ici. (N. d. E.)

FACTEUR

C'est pas de vous revoir qui m'aurait tant déplu
Mais cent dix kilomètr' à pied (1) c'est une trotte...
Et puis ça fait des frais — faut racheter des bottes...

JAMES (*se fouille*)

Puisque tu m'as filé la plus chouette nouvelle
Que ce talbin d'un sac récompense ton zèle...

FACTEUR

Merci monsieur.

JAMES

Gamberge bien : jamais jamais
Le trèpe ne déroule aux abords du chalet?

FACTEUR

Parole de facteur, jamais jamais personne.

JAMES

Quelle harmonie baleste en mon citron résonne :

FACTEUR

Alors, bonjour, monsieur.

JAMES

Merci, grand bafouillon
Je voudrais te carrer entre mes brandillons.

FACTEUR

N'en faites rien, monsieur... je vous envoie ma tante.

JAMES

Malfrat! Tu vas morfler!

FACTEUR

Ah! Ah! Ah! Je plaisante!

(*Il s'en va.*)

(1) Licence poétique.

JAMES

Ce gnière m'a collé sur l'âme un sparadrap
Qui la ressoude enfin.

(Il réfléchit, respire, marche.)

Poilpoil. Nul ne viendra
Troubler la gestation de l'œuvre pas trop blèche
Que je vais gamberger ici! Dans cette crèche

(On commence à entendre un lointain grondement comme un avion de bombardement.)

Sous ma plume de jonc le vélin va se tordre
Comme un cador en rif qui sent l'envie de mordre
Attichant la blancheur salope du papier
D'une encre violette en purée balancée
Je me défarguerai des mots dont je suis grave
Défouraillés d'un coup de mon comac chou-rave

(Il écoute.)

Mais dans le clair ciel quel est ce grondement
Ces bons à lap vont-ils faire un bombardement?

(Grondement se rapproche, colossal — suivi d'un bruit de chute formidable et d'une explosion un certain temps après.)

Dessoudés! Pauvres mecs!

(Un temps, il relève la tête.)

Mais quoi... Je m'apitoie
Sur des caves de nib gavés de confit d'oie...
Je suis trop bon! Tombez, sur vos gros fias gluants
Flambez sur votre artiche au grand chambardement
Décarrez tous, bâtards, saprophytes, cocus
Cannez dans votre graisse avec vos sacs d'écus...
Brûlez, pauvres locdus, rien n'en sera changé!
Avalez-la, glissez... mais sans me déranger...

(Il va s'asseoir dans un grand fauteuil et médite.)

Au fond, je suis verjot. Pas plus que de la guerre
Des accidents de zinc l'on ne ralège guère.

SCÈNE II

(*On entend une voix au-dehors — c'est le pilote.*)

PILOTE

Pan! Pan! Pan! Ouvrez-moi! Pan! Pan! Pan!

JAMES

Qu'y a-t-il?

PILOTE

La neige en ce haut lieu monte jusqu'au nombril
Et je suis en liquette.

JAMES

En aucun cas, mon drôle
Je ne délourdirai.

PILOTE

Mais j'ai dessus l'épaule
Le corps tout abîmé d'une hôtesse de l'air
Qui s'est évanouie dès qu'elle a touché terre...

JAMES (*à part, incrédule*)

Ce mec veut se farcir un coin de ma figure
Ils sont tous morts brûlés! (*Haut.*) J'ai filé mon carbure
Pour louer cette crèche et pour être seulabre
Et je me tape un peu de vos vannes macabres.

PILOTE

N'avez-vous donc en vous rien qui reste d'humain?

JAMES

Va te faire bourrer, minable trouillotin.

PILOTE (*enfonce la porte d'un coup de pied*)

Ma foi, s'il n'ouvre pas, je vais casser la porte
Levez-vous, saligaud; prenez ce que je porte

(*James, dompté, obéit.*)

Posez-la doucement sur ce divan profond
Et soignez-la pendant que je vais à l'avion.

JAMES (*affolé*)

Encor d'autres nanas?

PILOTE (*désigne l'hôtesse*)

C'est la seule victime
Elle est restée debout jusqu'à l'instant ultime
Mais elle avait déjà sifflé tant de cognac
Qu'elle s'est écroulée comme du poil en vrac.

JAMES

Et le reste? Allez, jacte, et bonnis-le sans charre.

PILOTE

Tous les cinq sont sortis vivants de la bagarre.

JAMES

Tous les cinq!

PILOTE

Sept ou huit sont restés à Brotteaux
Mais les cinq qui sont là m'ont paru des plus beaux
Des commis voyageurs en pâte dentifrice
Attendus au congrès d'Oran!

JAMES

Par saint Sulpice!
Et tous vont radiner ici?

PILOTE

Sans hésiter.

JAMES

Ton condé, mon poteau, c'est pour me débecter
D'abord, reloque-toi.

PILOTE

D'un pantalon, monsieur?
Je vous avoue que je ne demande pas mieux!

JAMES

Non content d'envahir ma carrée solitaire
Tu voudrais m'arnaquer un futal de première?

PILOTE

J'espère qu'il s'en trouve une vaste réserve
Car l'accident mortel dont le sort nous préserve
S'est porté néanmoins sur notre garde-robe
Et nous nous retrouvons, des pieds jusques au zobe
A poil.

(Il ouvre une des valises, en tire un pantalon élégant et l'enfile.)

JAMES

A poil, vous cinq?

PILOTE

Nus comme des Adam
Sauf la chemise, eh oui.

JAMES (*ennuyé, à part*)

Mais c'est très emmerdant.
Et tous... des chouraveurs en pâte dentifrice?

PILOTE

Allons, monsieur, ce n'est qu'un petit sacrifice.
Certes votre repos se trouve compromis
Mais considérez-nous comme quelques amis
Venus passer chez vous des vacances plaisantes.

JAMES (*furieux*)

C'est ça! Chambrez-moi donc, maintenant, sale tante

Allez, ripez chercher vos minables jacteurs
Avant que leur zizi n'ait paumé ses couleurs

PILOTE

Non, non, rassurez-vous, les débris de l'avion
Flambent suffisamment pour chauffer cinq croupions.

(*Il sort.*)

SCÈNE III

JAMES

Mon beau rêve de planque est quimpé dans la neige!...

(*L'hôtesse émet un gentil reniflement et d'une voix pâteuse :*)

HOTESSE

A soif, le gros toutou!

JAMES (*se ressaisit*)

Que le Vioc me protège
Mais je crois qu'il faudra pourtant que tu calanches

(*Il s'affaire au placard.*)

Prunellia Cusenier... matons cette boutanche

(*Il regarde la bouteille, la sent.*)

Impec! Ça va masquer l'odeur de l'autre fiole
Greluche, il va falloir te taper de ma gnole

(*Il ricane.*)

J'eus une chouette idée dans ma calme retraite
De me lécher de cette panoplie complète
Pour l'arcan breveté, dont jacte Duhamel
Dans son Petit Traité du Parfait Criminel

(*Il tire de sa poche une petite trousse, l'ouvre, choisit une fiole et il verse le poison dans un verre pris au placard et hume avec satisfaction.*)

Quand tu boiras ce glass au parfum de verveine
Au bout d'une broquille, une vapeur sereine
Te prendra le tarin comme un bon coup de chnouf
Tu vas en écraser sans seulement faire ouf
Avant de t'en gourer, tu pourras, bécassine
Sucer en paix les edelweiss par la racine

(*Il hésite.*)

Je m'allonge... voilà... c'est mon premier essai
Pas de salade... il faut que ce soit un succès

(*Il met un genou en terre et relève son verre.*)

A mon premier macchabe!

(*Elle bouge.*)

HOTESSE

Oh! J'ai la langue sèche
Allez, Marcel, un coup de schnick! Tu te dépêches?

JAMES (*à mi-voix*)

Ce mec dont elle roule en son pionçoir de bœuf
Ce serait pas cochon de le loquer en veuf...

(*Il se rapproche d'elle.*)

Éclusez, gros minet, c'est bon pour le venventre.

(*Elle le regarde.*)

HOTESSE

Merci!

(*Affreux hoquet.*)

Cré nom de nom, que c'est doux quand ça rentre!

JAMES

Pardonnez-moi, bébé, mais je débarque à peine
Et pas la moindre rouille à part cette verveine.

HOTESSE

C'était un peu misto, monsieur, je vous assure.

JAMES

Seulabre ici je vis perdu dans la nature
Et le dernier carat du confort, sans chiqué
C'est pas dans un boxon qu'on peut vous le cloquer.

HOTESSE (*se soulève*)

Je ne sais vraiment plus du tout ce qui m'a prise

(*Elle se frotte la figure.*)

J'ai bu tant de cognac... Je dois être un peu grise.

(*Elle chancelle.*)

JAMES

Hé là! Vous titubez!

HOTESSE

C'est un mal passager
Avec vous, je le sens, je suis hors de danger.

JAMES

Sans char!

HOTESSE

Dans un instant je vais me sentir mieux
Redonnez-moi de ce nectar délicieux...

JAMES

Pajotez-vous, ma mie... cette petite dose
S'en va vous repasser comme la gyraldose
Bécif et sans piper.

HOTESSE (*faible*)

Ah! Marcel! Je me meurs.

JAMES (*gentil*)

Ne vous croûtonnez pas! C'est aussi sans douleur.

HOTESSE (*éteinte*)

C'est vrai...

JAMES

Notre mouillette, à nous les écrivains
C'est de pas nous gratter une heure en propos vains
Quand tout ça se rambine en moins d'une broquille
Oui, je t'ai maravée, comme on bute une bille
Parce que t'es venue draguer dans mes radis
Et flanquer la pestouille à mon beau paradis
Tes compagnons vont raléger, blèches et sales
Le cul à l'air, la joie au cœur, souiller mes dalles
Pomper ma cave et s'attriquer mes pantalons
Je vais les effacer comme au tir de salon
Et quand j'aurai remis la peau sur la bouillie
Mézigue enfin profitera de l'embellie
Pour me carrer le fias derrière mon burlingue
Et bosser au charbon pour remplir mon lazingue.

HOTESSE

Mar...

(*Elle meurt.*)

JAMES

Je n'aurai pas maté ce gars qu'elle évoque
Putain ce qu'elle est longue à canner, cette vioque

(*Il lui prend le pouls.*)

Ouf. C'est fait. Pionce en paix, gisquette, dès demain
On te fera ton trou sur le bord du chemin
Il fait frigo dehors et ta cloche carcasse
Y restera planquée comme langouste en place

(*Il lui joint gracieusement les paumes sur le bréchet et passe la main sur les œils entrouverts, puis se les frotte avec plaisir.*)

La bobine est vraiment presque trop naturelle
On s'attend à la voir schpiler à la marelle.

(*Il retourne s'asseoir à sa table.*)

Mais gambergeons un peu pour ces six sacripants
Je m'en vais leur friper quelques philtres frappants

(*Il se plonge dans son petit manuel et se met à lire à voix haute.*)

Mêlé d'un kil d'Arbois, le produit trente-deux
Affure à la broquille un goût délicieux
Et dessoudre le clille un peu après dix plombes

(*Il regarde sa montre.*)

Encor six devant moi...

(*Regarde autour de lui.*)

Et demain, mes colombes,
Vous décambuterez de mon petit clandé

(*Appelle.*)

Machin!

(*Paraît Machin presque aussitôt.*)

MACHIN

Hm? Hm?

JAMES

J'ai l'impression d'avoir mardé
Quelques rouilles d'Arbois dans la cave à mézigue.

MACHIN (*acquiesce*)

Hm! Hm!

JAMES

C'est du picton qui vaut bien vingt-cinq cigues
Mais tant pis... Casse-toi chercher quelques boutanches
Active ton valseur, et fissa, pauvre tranche!

(*Il tire de sa poche la même petite trousse que précédemment et cherche.*)

Ils l'auront pas griffé... c'est déjà quelque chose...

(*Machin revient avec la bouteille. James l'examine, en verse dans un verre et regarde par transparence.*)

Matons ce couillotin.

MACHIN (*approbateur*)

Hm! Hm!

JAMES

Arbois de rose!...
Merde!... Mais c'est un mot! Sans char, je me sens bien
En java, détendu... Machin, siffle ce vin...

MACHIN

(*boit et fait un geste du pouce bien connu*)

JAMES

Impec. Retourne donc à ton chpil culinaire
Fais à jaffer pour huit... sortant de l'ordinaire...

MACHIN (*acquiesce*)

Hm... Hm...

JAMES

Tapons-nous donc un tout petit guindal.

(*Il verse la fiole dans le vin et sent.*)

C'est pas cochon!

VOIX DU PILOTE

Pan! Pan!
(*James range en vitesse la trousse dans sa poche.*)

AUTRES VOIX

Pan! Pan! Pan!

JAMES

Juste au poil.

(*Il va ouvrir.*)

SCÈNE IV

Entrent quatre représentants mâles et une femelle, plus le pilote. Ce dernier est vêtu comme à la scène précédente. Tous les autres sont en chemise, Martha en très légère combinaison.

PILOTE

Pareils à des bombyx en pleine pupaison
Je vous l'ai dit...

MARTHA

Pardonnez ma combinaison
Mais ma robe a brûlé sur moi telle une flamme
Et je suis dénudée comme un vieil arbre à came
A la morte saison...

JAMES (*se force à être galant*)

C'est un jeton de mat
Qu'est pas trop tartouzard, madame... et plutôt bath.

PILOTE

Moi vous me recevez comme un pou dans un verre
Mais pour une souris vous êtes moins sévère.

JAMES

Faire du rébecca devant une roupane
Faut être un vrai chiftir... et si ça m'emboucane
J'en bonirai que lap.

ROBUR

Ah quel accueil aimable.

JONAS (*grognon*)

Encor, s'il nous disait : messieurs, passez à table...
Vous vous contentez de bien peu, pauvre Robur.

JAMES (*crie*)

Machin, nous allons tous morganer des œufs durs.

(*Aux autres.*)

Je me gratte, messieurs, mais je renquille à peine
Et ne puis vous friper le gueuleton de reine
Que je voudrais...

(*Tous protestent par gestes.*)

MARTHA

Mon cher, vous êtes si gentil
Que si vos draps sont blancs de la blancheur Persil
Je sens que pour un peu je vais vous y rejoindre...

(*Elle rit.*)

TITAN

(*qui examinait la pièce, est tombé en arrêt devant l'hôtesse, s'écrie soudain :*)

Mais cette bonne hôtesse est en train de s'éteindre!

(*Tous s'empressent autour d'elle.*)

COCCYX

Et nous qui ne pensons qu'à boire et à manger.

(*Titan se relève, détaché.*)

TITAN

Inutile en tout cas de vouloir déranger
Un docteur...

JAMES

Clamecée? Voyons c'est pas possible...

COCCYX

Voulez-vous que je lise un verset de la Bible?
Je crois que ça se fait?...

PILOTE

Paméla, mon copain!...

(Il tombe près du divan, hébété, à genoux, et prend la main de l'hôtesse.)

JONAS

Quant à moi, ça m'a fait passer le goût du pain.
Je n'ai plus faim du tout.

JAMES

Vous licheriez, peut-être
Un peu de kil d'Arbois?

MARTHA *(à part)*

Je ne puis me remettre...

JONAS

Merci, monsieur, mais je ne bois jamais de vin.

JAMES *(vexé)*

Vous êtes un conard, en voici de divin...

ROBUR

Mon Dieu, je goûterais volontiers ce légume
Car les fesses au vent, je sens que je m'enrhume...

(Il éternue.)

JAMES *(à part)*

Un clille... il était temps.

TITAN *(à James)*

Monsieur, pour le falzar
Pourriez-vous m'indiquer le plus proche bazar?
Ma bestiole se gèle...

JAMES

Il n'y a nib qui vaille
A moins de trente lieues.

COCCYX *(innocent)*

Voulez-vous que j'y aille?

JAMES

Je vais vous dégauchir des tas de beaux bénouses
Mais gorgeonnons d'abord au blaze à la Pérouse.

TITAN (*inquiet à Coccyx*)

Pourquoi de la Pérouse?

COCCYX (*se touche le front*)

Hé, mais je ne sais pas.

JONAS

La mort de cette fille a gâté le repas
Que je comptais trouver dans ce chalet sauvage.

ROBUR (*regarde le vin*)

Je vais me consoler avec ce doux breuvage.

JAMES (*s'est approché du Pilote*)

J'entrave, mon poteau, que sa mort vous dégoure
Mais quand on est canné, c'est fini pour la bourre
Venez, ce pinochard vous rendra du ressort (1).

PILOTE

(*se relève, essuie ses yeux d'un revers, et digne*)

Monsieur, sachez-le bien, les pilotes de France
Ne boivent que de l'eau qui gazouille et qui danse
Réclame non payée.

JAMES (*à part*)

Vraiment, c'est du cri sec
J'allais en moins de jouge envaper tous ces mecs
Et ces vrais lavedus se la donnent.

TITAN

Mon hôte
Allez-vous donc enfin nous metztre des culôttes?

JAMES

Qui veut fader ce kil? (*A Robur.*) Monsieur?

(1) Pour des raisons ésotériques cet alexandrin est blanc. (N.d.E.)

[(*A Titan.*) Monsieur?
[(*A Coccyx.*) Monsieur?

TITAN

Je crains de me gâter l'haleine, et c'est sérieux
Dans ma partie...

COCCYX

Mon cher, nos parties sont la vôtre
Si vous ne buvez pas, je bois...

MARTHA

Le bon apôtre.
Votre pâte à la chlorophylle vous permet
Des écarts de régime à tuer Mahomet...

COCCYX (*agressif*)

Vendez-en donc aussi, de cette chlorophylle
Vendez-en donc, si vous croyez que c'est facile...

ROBUR (*intervient*)

Nous avions convenu, messieurs, chère consœur
De laisser les questions de boutique aux censeurs.

JAMES

J'ai les grolles de voir virer au rififi
Une proposition que vraiment je ne fis
Que pour vous bégaler.
D'autor, je dis : Qui boit?

MARTHA

Pas moi.

JONAS

Pas moi.

ROBUR

Je bois.

PILOTE

Pas moi.

COCCYX

Je bois.

TITAN

Pas moi.

MARTHA

Boire en chemise, avec ce cadavre si jeune...

JONAS

Vous venez d'énoncer la raison de mon jeûne...

JAMES

Pas de char... vous disiez que vous n'éclusiez point...

JONAS

Jamais devant un mort.

JAMES

Ça s'en tape un peu bien!

JONAS

Vous êtes agressif!

JAMES

Votre futalonnade
Me fait trop renauder pour y prendre mon fade
Encor, si vous pompiez...

JONAS (*furieux*)

Voulez-vous un rambour?
Je ne bois que de l'eau.

JAMES (*sarcastique*)

Papa, ça c'est du pour.

MARTHA

Si vous êtes méchant, je vais mettre une jupe.

JONAS (*à James*)

Vous nous traitez comme de simples géotrupes.

JAMES

Ce serait vous faire une fleur.

ROBUR

Je voudrais boire (1)!

JAMES (*se passe la main sur le front*)

Rengracissons... Je me conduis comme un pedzouille
C'est aussi de vous voir dégourés de mes rouilles.

MARTHA (*à James*)

Monsieur, détendez-vous... Je sais votre chagrin
De vous voir envahi par sept ou huit sagouins
Qui risquent d'entraver vos projets les plus sages
Mais puisque c'est ainsi... faites-nous bon visage.

JAMES (*lui baise la main*)

Si je renaude un brin, c'est de voir ce hotu
Faire du gouale. Alors que c'est un bon tutu.
Enfin... n'en jactons plus...

(*Apparaît Machin portant un plat d'œufs durs.*)

MACHIN

Hm! Hm!

JAMES

A la carante
Mais avant de claper ces noix pas dégoûtantes
Vos blazes, messeigneurs!

(*Tous sont debout autour de la table chacun se présente en s'inclinant.*)

COCCYX

Coccyx!

(1) Dans la version en langue française, « notoire » rimait à « boire », James avouant une muflerie notoire au lieu de se dire un pedzouille, lequel pedzouille a déclenché, en argot, la rime « rouille ». (N. d. E.)

TITAN

Titan!

ROBUR

Robur!

JONAS

Jonas!

MARTHA

Martha!

PILOTE

Durand!

JAMES

Machin, les cocos durs!

(*Il remplit de sa bouteille les verres tendus de Robur et Coccyx.*)

Un pot de lancequine à ces quatre marioles
Qu'ont peur que mon Arbois leur coûte un peu grisole

(*Machin, d'un gros pichet, emplit le verre des autres, sauf de ceux qui refusent.*)

Je pinte au souvenir des gniasses qui bientôt
Vont la glisser sans mal au mitan du borgnio.

(*Tous se regardent étonnés, boivent quand même et s'asseyent sauf James. Machin regarde par la fenêtre et s'aperçoit que la neige commence à tomber.*)

MACHIN

Hm! Hm!

(*Il désigne la neige.*)

JAMES

La blanche enfin vient nous cloquer visite.

MARTHA

Et cela signifie?

JAMES

Belle nana, j'hésite
A le bonir ici...

ROBUR (*finit de boire et clape*)

Fameux, ce petit vin

JAMES (*solennel*)

Nous voilà tous au ch'tar pour quatre marquotins...

(*Tous s'assoient et choquent leurs verres.*)

RIDEAU

DEUXIÈME ACTE

SCÈNE PREMIÈRE

Même décor qu'à l'acte précédent — une seule modification — il fait beau et dehors trois croix noires de planches grossières apparaissent derrière la baie, plantées dans la neige.

Au lever du rideau, le pilote et Jonas, moroses, assis dans des fauteuils, le menton dans la main, regardent les cerceuils.

JONAS

Crever de congestion comme des péquenots
Sans avoir eu le temps d'ôter ses croquenots!...

PILOTE

Pourtant, j'avais posé l'avion sur la montagne
Avec une douceur...

JONAS

Notre pauvre compagne
Et nos deux vieux amis, les voilà tout mourus

PILOTE

Quand je pense aux dangers que nous avons courus
L'écrasement, le feu, le froid, la faim, la trouille
Ah, le petit Jésus, vraiment, c'est de la drouille

JONAS (*choqué et découragé*)

Ne basphémez donc pas, Durand, c'est sans effet

PILOTE

On croit que l'on en tient pas mal dans le buffet
On croit qu'on est costaud, quand le sort vous protège
Et l'on s'en vient périr dans trois mètres de neige.

(*Il étouffe un sanglot.*)

Paméla...

JONAS

Mon ami, vous me fendez le cœur.

PILOTE (*désigne les croix*)

Pardonnez-moi... Mais c'était ça tout mon bonheur...

(*Un temps, Jonas frissonne.*)

JONAS

Il rôde ici je ne sais quoi d'assez sinistre
Depuis hier au soir, je vois la vie en bistre

PILOTE

Je n'aime pas beaucoup la gueule de ce gars

JONAS

Il nous a bien reçus...

PILOTE

J'aurais fait du dégât
S'il avait refusé — ce qu'il faillit bien faire!

JONAS

Certes, nous le gênons dans ses jeux littéraires

PILOTE

Il pue la prétention du plus loin qu'on le voit.

JONAS

Son argot, ce Machin, ce méchant vin d'Arbois

(*Il soupire tristement.*)

Aujourd'hui, j'aimerais taper dans la bouteille

(*Il va au buffet.*)

Peut-être en reste-t-il un vieux fond de la veille...

(*Il prend la bouteille, la regarde, hoche la tête.*)

Non... Robur et Coccyx n'en avaient pas laissé
Dommage...

PILOTE

Un des détails qu'il n'a pas encaissés
C'était le coup du pantalon

(*Il rit.*)

JONAS

J'avoue, c'est drôle.
Moi-même je n'aurais pu garder mon contrôle...

PILOTE (*se rembrunit*)

N'importe, il me déplaît.

JONAS

Que dire de Machin?
Ce serviteur muet qui ressemble à Tronchin...

PILOTE

Qui est Tronchin?

JONAS (*distrait*)

Je ne sais pas.

PILOTE

Ces trois cadavres
Me rappellent mon père et sa maison du Havre

JONAS

Pourquoi?

PILOTE (*distrait*)

Je ne sais pas.

(*Il frissonne.*)

Je sens passer la mort
Dans le creux de mes os.

JONAS (*baisse la voix*)

Ne parlez pas si fort
Vous allez nous flanquer le guignon.

PILOTE (*se lève*)

Peu m'importe
Combien pariez-vous que si j'ouvre la porte
Je vais la voir surgir avec son linceul blanc?

JONAS

Ne faites pas l'idiot, je vous en prie, Durand

PILOTE (*ricane*)

Je ne fais pas l'idiot, mais je sens que mon crâne
Est en train de briser ses dernières membranes...

(*Il s'assied.*)

JONAS

Changeons donc de sujet... nous avons tort je crois
De ne penser qu'à ceux qui sont morts tous les trois

PILOTE

Vous préférez parler de pâte dentifrice?
Fameux sujet pour conjurer les maléfices

JONAS

Votre ignorance un jour vous fera plus de mal
Qu'un binaire jamais n'en fit au décimal.

PILOTE (*hausse les épaules*)

Allez-y, je veux bien, déballez-moi vos tubes
Mais je vais m'installer dans ce grand fauteuil clube

JONAS (*vexé*)

Pour mieux vous endormir? Merci.

PILOTE

De rien, mon cher.

JONAS

Vous décourageriez le vendeur le plus fier.
Ne vous lavez-vous donc jamais les dents?

PILOTE

Jamais.

JONAS

C'est aussi ce que votre haleine, hélas, promet.

PILOTE (*se lève*)

Vous me cherchez?

JONAS (*se lève*)

Comment?

PILOTE (*menaçant*)

Qui me cherche me trouve.

JONAS

Cassez-moi la figure, et qu'est-ce que ça prouve?

PILOTE

Cela prouve qu'à moi, vous me cassez les pieds

JONAS

Un salaud qui faillit hier nous estropier!

PILOTE

Répète!

JONAS

Laissez-moi!

PILOTE (*lui donne un coup*)
Répète!

JONAS

Oh! Quel sauvage!

PILOTE

Ça porte sa bêtise au milieu du visage
Et ça râle?

JONAS

Durand! Pour la dernière fois
Laissez-moi!

(*Le pilote se met à lui donner des coups lorsque la porte s'ouvre très brusquement et James paraît.*)

PILOTE

Tiens, fumier!

JAMES

Mais qu'est-ce que je vois,
Mes mecs!

JONAS

Ce salopard m'est tombé sur le râble

PILOTE

J'en ai assez de ce conard insupportable...

JAMES

Chablez-vous s'il vous plaît, mais surtout, pas de flan
A la saccagne? Au boukala? Pas de battant?
J'ai des razifs rouillés... Je vais les dégauchir?

JONAS

Nous ne nous battions pas vraiment.

JAMES

Faut le bonir!
Vous grattez pas si vous voulez défourailler...

PILOTE

Moi, je refuse.

JAMES

Alors, pourquoi que vous braillez?

JONAS

Ne pourriez-vous trouver de jeux moins sanguinaires?
Nous discutions surtout afin de nous distraire.

JAMES

On pourrait tous flamber à pique-le-cochon
Mais il faut être six avec un polochon.

PILOTE

Machin nous aidera.

JAMES

Cinq suffiront, je pense.

JONAS

Bravo! Jouons-y donc! Je m'éjouis d'avance.

JAMES

Il faut affranchir vos poteaux.

JONAS (*crie*)

Martha! Titan!
Comment joue-t-on?

JAMES

Sans char, c'est très très excitant!
On prend un oreiller que l'on croche au plafond
On bande ses hublots, puis on se planque en rond

(*Il mime.*)

Un lingue à la paluche, à son tour on s'efforce
De larder le salingue avec toute sa force
Après avoir valsé sur soi-même un bon coup
Celui qui l'a buté le premier rafle tout.

PILOTE

Mais ne risque-t-on pas en lardant au hasard
De blesser son voisin?

JAMES (*sournois et provocateur*)

Que vous êtes trouillard!

(*Apparaissent Martha et Titan.*)

JONAS

Ah! Voici la plus belle.

PILOTE

Et voici le plus gros.

JAMES

Durand, vous attigez...

TITAN

Je suis frais et dispos
Et ces méchancetés ne peuvent pas m'atteindre.

JAMES (*à Martha*)

Ces fleurs dans vos crayons... vrai, vous louquez à peindre.

MARTHA

Oh... mais c'est trop gentil, vraiment...

JONAS (*à Titan*)

Mon bon ami
Que faites-vous là-haut?

TITAN

Que faisiez-vous ici?

JONAS

Hélas, je méditais sur les pauvres dépouilles
De nos amis, fauchés tels de jeunes citrouilles
En pleine floraison...

PILOTE

Vous mentez, vieux ballot
Vous me cherchiez des poux dans le crâne

JAMES

Poteau
Cessez de nous casser les arpions

(Il désigne les morts.)

Ça me quille
Comme louvoc, mais nous allons paumer la bille
Si qu'on se laisse tous arnaquer par les morts
Gy, soyez pas lopes... un tout mignard effort...

(Pendant ce temps, les trois autres bavardent.)

PILOTE

Mais je ne comprend pas comment ces imbéciles
Oublient si vite leurs amis. C'est difficile
D'admettre un tel mépris... pour moi, je rends mes cartes.

JAMES

Psychologiquement, c'est vraiment de la tarte
Vous voilà défargués par un mastard miracle
Du bûcher qu'aurait dû vous roustir la barbacle
Vous avez eu du vase, et pourtant, en solo
Chacun se bigle mort.

PILOTE

Je vois.

JAMES

Dans vos calots
Je marde les chaleurs de revoir la Camarde
Remettre le couvert, la tronche goguenarde

Pour rengourdir les vies dont vous l'avez cavée
Z'êtes tous des macchabs qu'il faut remaraver.

PILOTE (*sombre, désigne les cercueils*)

Pas ces trois-là, toujours.

JAMES (*le calme*)

Prenez donc pas les flubes
Cette lamfé, peut-être elle était déjà tube.
Vous devenez folingue...

PILOTE (*à part*)

Hélas... c'est déjà fait.

MARTHA (*revient*)

James vient d'expliquer le jeu; moi, ça me plaît.

TITAN

Ça ne me déplaît pas.

JONAS

Je grille d'impatience.

MARTHA

Allez, monsieur Monroe, quand est-ce qu'on commence?

JAMES

Chpilons sans lanterner.

MARTHA

Chpilons, c'est merveilleux!

TITAN

Ah, que je suis content.

JONAS

Moi, j'adore les jeux.

JAMES (*crie*)

Machin, dégauchis-nous des saccagnes solides

TITAN

Parole de Titan, je vais fendre le bide
A ce vieux polochon.

JAMES (*prend un coussin*)

Cézigue a tout pour plaire.

(*Machin revient avec d'énormes coutelas.*)

JONAS

A moi ce coutelas...

TITAN (*saisit un autre*)

Celui-là fait la paire!

JAMES

Machin, biglouse un peu si qu'y a des foulards.

PILOTE

Ma parole d'honneur, ça c'est du tranche-lard!

MARTHA

Monsieur Monroe, pourrais-je prendre celui-ci?

JAMES (*s'incline*)

Vous pouvez chouraver tout le toutin d'ici.

JONAS

Assez de flirt! Jouons!

JAMES

Une broquille encore
Il faut les cachepifs.

JONAS (*saute de joie*)

Vraiment, ce que j'adore
M'amuser. (*A James.*) Croyez-vous que ce soit un péché?

JAMES (*le regarde profondément*)

Non, papa, ton battant ne saurait rien cacher
De tocard...

JONAS (*ravi*)

Vrai, Monroe, hier, je vous assure
J'ai trouvé votre accueil un peu froid... mais je jure
Que depuis ce matin, je change d'opinion...

MARTHA (*coquette*)

Vous n'êtes pas le seul à le trouver mignon...

(*Machin arrive avec des foulards multicolores qui font qu'on reconnaîtra les acteurs dans la pénombre à leur couleur bien que ceci ne présente aucun intérêt vu qu'ils y passeront tous. Donner le foulard rouge à Jonas qui va saigner le premier.*)

MACHIN

Hm! Hm!

JAMES

Merci, Machin... tu peux décambuter
Ah... non, reste un chouïa. Devant que de calter,
L'escabeau sous ce clou...

(*Il montre un point au plafond; Machin sort, revient avec l'escabeau. James montera et passera la ficelle qui retiendra le poloche.*)

MARTHA

Dieu que tout ça m'amuse.

PILOTE (*à part*)

Peste de la chipie... quelle tête de buse...

JAMES

Filez-moi le coussin quand je serai monté

TITAN (*à Jonas*)

Il cherche à nous distraire avec une bonté!

JONAS

Le cœur m'en monte aux yeux!

JAMES

Le polochon, Martha

(*Aux autres.*)

J'ai dragué dans le temps près de Djokjokarta
Et c'est le gouverneur de Java, Van Bieruthe
Qui nous roula du chpil.

PILOTE

Pour moi, ça me déroute
Qu'on puisse ainsi perdre son temps.

JAMES (*termine le nœud*)

Gigo, c'est prêt.

(*A Martha lui tendant un bandeau.*)
Vos châsses de velours...

JONAS (*à Titan*)

Otons ce tabouret
Sinon pour sûr quelqu'un s'y va casser la gueule.

(*James bande les yeux à Martha.*)

MARTHA

Dès qu'on est dans le noir, c'est fou ce qu'on est seule.

TITAN (*à Jonas*)

Bandez-moi donc, mon cher.

JONAS (*à Titan*)

Mon cher, avec plaisir.

(*Il le bande.*)

JAMES (*au pilote*)

Permettez...

PILOTE (*de mauvaise grâce*)

S'il vous plaît...

(*James regarde son couteau.*)

JAMES

Vous, vous savez choisir...
C'est bien le plus choucard...

PILOTE (*gêné*)

Simple hasard, je gage.

(*James le bande.*)

JONAS (*gai*)

Si l'on rate son coup, doit-on payer un gage?

JAMES (*lâche le pilote*)

On ne loupe jamais...

(*A Titan.*)

Permettez-moi, mon pote

TITAN

(*qui luttait avec son foulard se laisse faire*)

Merci!

MARTHA

Je vois un peu...

JAMES

Bon... J'éteins la loupiote!...

(*Il se noue le foulard sur le nez, les yeux bien dégagés, et va éteindre. Demi-jour. Ciel très noir.*)

Chacun tient bien son lingue...

MARTHA

Oh... J'ai peur...

JONAS

Moi,

[j'avoue

Que je ne suis pas rassuré...

JAMES

Formons la roue

Autour du polochon... icigo... stop...

JONAS (*voix étranglée*)

TITAN

Vous êtes là?

TITAN

Bien sûr...

JAMES

Attention... Maintenant,

Je mets mon cachepif puis on gire sur place.

JONAS

Je ne sais pas pourquoi, mais soudain, ça me glace...

JAMES

VALSEZ! Stop!

(*On tourne. Le pilote est face à Jonas couteau levé, Jonas un peu décalé.*)

JAMES

AVANCEZ!

(*On avance d'un pas.*)

CHABLEZ!

(*Les couteaux s'abaissent, celui du pilote crève l'œil de Jonas. Hurlement horrible.*)

JONAS

Aaah! Je suis
[mort (1)!

(*La lumière se rallume, il s'abat à genoux, le visage ruisselant de sang. Tous retirent leurs bandeaux et regardent hagards la scène horrible. Le pilote contemple son couteau dégoulinant de sang.*)

PILOTE

C'est moi qui ai fait ça! Mon Dieu! Je suis foutu!

TITAN

Un de plus.

JAMES (*rectifie*)

Un demi!

PILOTE (*horrifié*)

Je suis Nosferatu!

TITAN (*lui entoure l'épaule*)

Ce n'est qu'un accident, mon vieux, pas autre chose.

JONAS (*gémit*)

Cet œil avec lequel je voyais tout en rose!

MARTHA (*se met à pleurer*)

Oh! C'est si émouvant, ce qu'il dit...

TITAN (*ému*)

Cher Jonas

De qui chacun disait le voyant : c'est un as

PILOTE

Je suis un as aussi (*Il ricane*) de l'espèce fort rare
Des assassins.

(1) Cet alexandrin est resté blanc de terreur. (N. d. T.)

JAMES (*glacial*)

Ce chpil de mots me fend la poire

PILOTE (*même jeu*)

Si vous en trouvez un meilleur, faites-le donc

JAMES

Moi, je n'en drague pas... ce n'est plus la saison.
Mézigue, je gamberge à requinquer ce type

JONAS

Monroe, c'est vous le seul qui n'ayez pas un stipe
A la place du cœur...

(*Il se lève, chancelant, c'est un spectacle pas regardable.*)

Où donc est la fripouille
Qui m'a crevé cet œil?

JAMES

Ne jouez pas les andouilles
Jonas...

JONAS

Bon Dieu, Monroe, vous figuriez-vous donc
Que j'allais de surcroît lui demander pardon
Pour avoir mis mon œil en plein devant sa lame?

(*Avec rage.*)

Je vais les lui couper...

JAMES (*choqué*)

Pas devant une dame...

JONAS (*fou de rage*)

Devant n'importe qui...

TITAN (*s'écarte prudemment*)

Retenez-le!

JAMES

Machin!

Mon boukala!

JONAS

Monroe, ce n'est pas du crachin
Qui va tomber!

JAMES

Jonas, esgourdez, je vous prie...

JONAS (*dents serrées*)

Je m'en vais te larder comme une poule au riz
Enfant de salopard... amène un peu ta fraise...

PILOTE

Si vous vous approchez, je cogne à coups de chaise

JONAS

T'as envie d'un cadavre, espèce de fumier

PILOTE

N'avancez pas!

JONAS

T'auras besoin d'un infirmier
Quand ça sera fini...

(*Il s'élance sur le pilote, s'arrête en plein élan et, portant la main à son cœur, s'effondre comme une masse.*)

MARTHA (*d'une voix blanche*)

Jonas...

JAMES (*s'agenouille et le palpe*)

Plus nib à craindre
Le battant s'est trissé

(*Le pilote repose sa chaise haletant.*)

PILOTE

Inutile de feindre...
Je me sens soulagé...

MARTHA (*à Titan*)

Moi... je sens que je flanche
Ramenez-moi là-haut.

(*Titan l'emmène, ils sortent.*)

JAMES (*hoche la tête*)

Ce transport à la tranche
Vous défargue pour pas grisole.

PILOTE

Ah... c'est horrible...
C'est donc lui que la mort avait choisi pour cible...

JAMES

Cézigue. Maintenant, si qu'on séchait un coup?

(*Il se relève, va au placard.*)

J'engourdis deux godets?

PILOTE

Je vous envie beaucoup
Ce sang-froid qui vous donne un calme aussi superbe.

JAMES

C'est un pied sur mon grand dabuche; il était serbe.

PILOTE

Tout s'explique.

(*Il remonte vers le buffet.*)

De fait, je boirai bien aussi.

(*Il ouvre un placard.*)

JAMES

Lagà, c'est la boutanche à gaz. C'est par ici.

(*Il lui ouvre le placard à liqueurs.*)

PILOTE

De ce que vous avez de plus raide.

JAMES

Un grand glass?

PILOTE

Versez, versez.

JAMES

C'est sûr que quand on en a class,
Ça rambine un mecton.

(*Il lui tend le glass.*)

Posons nos prozinards

PILOTE (*désignant Jonas*)

Devant lui?

JAMES

Pourquoi pas?

PILOTE

J'en sais rien.

JAMES

Dès ce soir
Il rejoindra ces fias sous la blanche berlue
Qu'il l'ait glissé, c'est nib... c'était un lavedu
Ce n'est pas pour ce vioc qu'il faut s'emboucaner.

(*Il se carre dans le fauteuil.*)

PILOTE (*atterré*)

Quatre depuis hier...

(*James ricane.*)

Sans vous morigéner
Je trouve qu'il y a derrière un tel cynisme
Un orgueil bien voisin de l'existentialisme.

JAMES

Et alors, ducono?

PILOTE (*interloqué*)

Vous me fichez un choc.

JAMES

Mettez-vous au parfum. J'y bigle nib de toc.

PILOTE

Pardonnez-moi je sens que mon bon sens déraille
Cet accident, ces morts, toute cette pagaille
Trêve de faux-fuyants — je suis un assassin
Tôt ou tard il faudra me livrer aux poussins

JAMES

Aux perdreaux.

PILOTE

Ma raison fait des sauts dans ma tête
Comme une carpe mâle en rut un jour de fête
Je l'ai tué — c'est ignoble — et le remords me ronge

JAMES

Écrasez donc le coup, Durand... passons l'éponge.

PILOTE

Non, mon vieux, je sais bien quelle est la solution

JAMES (*encourageant*)

Matons ça?

PILOTE

Mon suicide — et ma disparition

JAMES

Hé! c'est assez misto.

PILOTE (*boit et a le hoquet*)

Hic! Vous trouvez?

JAMES (*profondément persuasif*)

Je trouve.

PILOTE

Vous jetterez mon corps au plus profond des douves
De ce puissant castel...

JAMES (*insinuant*)

Dis-moi, papa... d'accord
Mais maquille un bifton qu'on planquera d'abord
Sur l'Henri II...

PILOTE

Demain, Machin vous le délivre
Longtemps après que j'aie déjà cessé de vivre.

JAMES

C'est classique.

PILOTE

Il est vrai

(*Il boit.*)

JAMES

Je me détranche pas
Du classique.

PILOTE

C'est vrai?

JAMES

Vrai de vrai.

PILOTE

Je vous crois.

(*Hoquet.*)

D'abord, Monroe, je te trouve une bonne bille.

JAMES

Merci.

PILOTE (*ivre*)

Mais non... Tiens, moi, j'aime plutôt les filles
Eh ben si je devais changer de goûts plus tard
C'est toi que je prendrais!

JAMES (*provocant*)

Tu parles d'un rancard!
Qui bonit que j'aurais pour toi le même faible?

PILOTE

Avec du temps... je viendrais à bout d'une hièble.

JAMES (*s'incline*)

Ben, papa!...

PILOTE (*s'effondre*)

Mais je crâne, et j'ai la trouille verte,
Monroe, je suis foutu, lessivé, vidé...

JAMES

Certes
Ça la fout plutôt mal... Mais Jonas était dingue
C'est lui qui comme un con s'est piqué sur ton lingue
Tel un Malais cintré qui va ripant l'amok

PILOTE

Malais ou pas Malais, Monroe, moi je m'en mok
Je suis un assassin...

JAMES

C'est du bidon, pilote.

PILOTE

Mais mourir pour mourir, je meurs avec un pote
Je t'aime bien, Monroe, tu sais

JAMES

Saint-Cloud, Durand

PILOTE

Passe-moi le papier.

(*Il boit.*)

Tout ça, c'est altérant.
Je voudrais un stylo Parker, si c'est possible.

JAMES (*à part*)

Il va me l'esquinter, mais restons impassible.
Voilà, Durand.

PILOTE (*larmoyant*)

Monroe, je n'oublierai jamais
Ce que tu fais pour moi.

JAMES (*plaisante*)

Le grand air des sommets
Te fait goder, Durand.

PILOTE

Je godais encor plus
A jeun, mais laissons là ces regrets superflus...

(*Il écrit fiévreusement. James va à la fenêtre et regarde au-dehors.*)

JAMES

La blanche recommence à quimper... qu'il fait sombre.

(*Il retourne Jonas du pied.*)

Te voilà le caïd du royaume des ombres
Leur débloqueras-tu les mérites distincts
De Colgate, de Gibbs et son sulforicin,

De l'Ipana, d'Odol, d'Arma, de Kolynos
Du manchaga plastique ou bien du manche en os
Soies garanties nylon ou porc un peu balourd
Quand on est dessoudé, canné, c'est pas du pour
Les ratiches, on les voit...

PILOTE (*à mi-voix*)

A Monroe je lègue
Ma part de la cagnotte, et je prie mes collègues...

(*Sa voix se perd.*)

JAMES (*rêveur*)

Chair qui nous loque et qui chanstique nos contours
Oui... S'en décarpiller pour apparaître un jour
Sapés de ce squelette un peu beau qui ricane
C'est du support de pré pour des cailloux...

PILOTE (*marmottant*)

A Jeanne
Je lègue le berceau qui servit...

(*Sa voix tombe.*)

JAMES (*rêve*)

Dans l'orbite
Cernés de jonc, deux gros calots de malachite
Le long des tabourets, des éclats de saphir
Le cassis incrusté des diamants d'Ophir
La clavicule entrelardée de chrysocales
Les roberts cloisonnés de platine et d'opales
Aux cannes, des grenats d'un poids de cinq kilos
Et sur les brandillons, quelques mignards îlots
D'uranium balançant une purée malsaine

(*Un temps.*)

Oui... ce serai tlaubé...

PILOTE (*marmottant*)

Que le portrait d'Eugène
Soit placé tout au fond de mon cercueil de plomb.
Et que ma bicyclette aille au cousin Duplont.

(*Il relève les yeux et voit James.*)

C'est presque terminé.

JAMES

Vas-y, prends tout ton temps
Te fais pas de mouron...

PILOTE

J'en ai pour un instant.
Le temps de cacheter l'enveloppe, et c'est fait...
Que vous faut-il de plus?

JAMES (*se frotte les mains*)

Nib de lap... c'est parfait...
Je reste à la biglouse ou bien si je me taille?

PILOTE

J'aimerais franchir seul cette ultime muraille...

JAMES

Comme tu veux, papa... je décarre...

PILOTE

Au revoir...

JAMES (*hausse les épaules*)

Bonne pince...

(*Il s'arrête et revient.*)

Je peux harpigner le lardoir?

PILOTE (*sombre*)

Je n'en ai plus besoin, mon ami...

JAMES

Le tracsir?

(*Il va pour remonter.*)

PILOTE

Je n'ai pas peur de l'arrivée... c'est de partir
Qui me tourmente un peu.

(*James revient*)

JAMES

Ouais... tu manques de toc
Ben quoi, tu vas morfler un chouïa... Chnoufe à bloc
Et tu sentiras lap. Un conseil, pauvre nière
Va-t'en souffler d'autor le gaz dans la chaudière
Rouvre le robinet, puis renquille ta fiole
En plein dans le foyer.

(*Il le regarde.*)

Nom de Dieu... t'as les grolles...

PILOTE (*se redresse*)

Je vais me débrouiller tout seul.

JAMES

Allez... au rif!
Non... le dernier rancard...

PILOTE

Lequel?

JAMES

Vas-y bécif
Nos valseurs vont geler si le gaz est éteint.

PILOTE

Entendu...

(*James commence à remonter.*)

Mais un doute est là qui me retient...
Monroe!

JAMES (*redescend une marche*)

Mec?

PILOTE

Dites-moi... par quel mystère étrange
Possédez-vous le gaz dans cette ignoble grange?

JAMES (*naturel*)

Du butane.

PILOTE

Je vois!

JAMES (*de plus en plus naturel*)

Vachement plus nocif...

PILOTE

Je crois que ce sera plutôt expéditif...

(*James remonte et disparaît sur l'escalier. Le pilote va à l'armoire à gaz, en tire un tuyau long, ouvre un robinet, renifle ce qui sort, et va s'étendre sur le divan en mettant le tuyau dans sa bouche. On entend le léger sifflement du gaz, et le rideau tombe.*)

RIDEAU

TROISIÈME ACTE

Le matin du jour suivant. Il fait plus clair. James Monroe a enfilé une combinaison du parfait bricoleur. Il a quelques outils à côté de lui sur une table basse, et une paire de skis dont il a démonté une des fixations. Armé d'une gouge, il évide censément l'épais du ski. Dehors, quatre croix bien visibles.

Il sifflote un air gai, puis s'interrompt pour consulter le manuel du petit criminel, ouvert à côté des outils sur la table.

SCÈNE PREMIÈRE

JAMES

Vraiment, sans vous chambrer, votre petit bouquin
Cher Monsieur Duhamel, c'est un choucard turbin

(*Il reprend son boulot, parlant lentement.*)

Sous les lappes, planquons presque lap de cheddite
Et Martha va bouffer sa carte de visite
Ce croquignol détonateur, par l'inertie
Défouraille tout seul à l'instant très précis
Où la pente enneignée bandant comme un bardache
Le ressort extendu décarre et soudain lâche
Cloquant les fils cuivreux de la pile au contact
De l'amorce...

(*Il visse trois vis.*)

Et voilà... le ski paraît intact...
Cette polka méritait-elle un tel tintouin?

(*Il commence à ranger ses outils et hausse les épaules.*)

Évidemment, c'est pas la faute à ce bourrin
Mais je suis obligé d'y plomber le faubourg

(*Règle son ski.*)

Cette arnaque de pre me fait faire un détour
Mais m'en défarguera sans risquer ma bobèche
Loin d'icigo, petit détail sans rien de blèche.
Pas que je craigne un bavocheur... loin de laga

(*Machin est apparu, un plumeau à la main, depuis quelques mots.*)

Mais il faut éviter la maison poulaga
Et tout le contrecarre à ce condé mahousse
Qui commence à m'intér...

(*Il aperçoit Machin et s'arrête net.*)

Tu m'as foutu la frousse...
Tu m'esgourdais?

MACHIN (*acquiesce*)

Hm! Hm!

JAMES

Et tu t'es rencardé?

MACHIN (*même jeu*)

Hm!

JAMES

Lâche ton paqucif!

MACHIN

Patron... Venez marder...

JAMES

Pédoque de mes deux... Le voilà qui reparle

MACHIN (*négation*)

Hm! Hm!

JAMES

Envoie le duce!

MACHIN (*acquiesce*)

Hm!

JAMES

Si tu fais le marle
Tu décambuteras, Machin, je te préviens.

MACHIN
(*désigne le dehors, fait signe que des gens montent*)

Hm! Hm! Hm! Hm!

JAMES

Allons! Tu jactes que ça vient?

MACHIN (*acquiesce, muet*)

JAMES

L'équipe de secours, peut-être...

MACHIN (*approuve*)

Hm! Hm!

JAMES

Salope
Comment le saurais-tu?

MACHIN
(*fait le geste de porter des jumelles à ses yeux.*)

J'ai vu, patron... Pelope!

JAMES

En tout cas, t'es mouillé, Machin... ne moufte pas...
Moi, je vais maraver le gros mec et Martha...

(*Il réfléchit à haute voix.*)

Voyons... Martha... les skis... Ça c'est du millefeuilles
Mais il reste toujours le constipé des feuilles...

(*Il voit Machin.*)

Fous-moi le camp, Machin, retourne à ton fourneau...
Tu vois que je gamberge, espèce de conneau...

(*Machin s'en va, l'air furieux.*)

Je pense donc je suis... Je suis... Je suis... Je sue...
J'y file sur la tronche un grand coup de massue
Merde... J'y étais presque... Un chouïa de patience
Je pense... Nom de Dieu! Ça rime avec potence!
Je prends! Je m'en gourais que j'étais près du but
Tu vas goder, Titan, comme un vieux gail en rut
Prépare ta gargane et ton gourdin, mon gniasse

(*Il cherche autour de lui.*)

Mézigue je m'occupe à dégauchir la place...

(*Il monte vite l'escalier.*)

Impec! Je scie la rampe... et je visse un piton
A la gravosse poutre... avec un œilleton...
Ma trousse!...

(*Il redescend, fouille, tire un gros piton à œil.*)

Le voilà... c'est un mec admirable
Que le grand Duhamel... Une vrille... et le câble...
La scie... ces caves-là m'auront bien fait tartir

(*Il remonte, scie en vitesse les deux montants du fragment de rampe du petit palier, et commence à percer un trou avec la vrille.*)

Mais je les mène en belle et ça va réussir...
Foi de mec, il n'est pas question de faire un douze
Du dentifrice enfin la horde des tantouzes
Va rentifler bientôt les noirceurs de l'Hadès
Par la vertu des skis du père Damoclès
Et du collet de fil à buter les lapins...

(*Il achève de visser le piton, passe la corde, dévisse l'ampoule qui éclaire le petit palier, redescend en se frottant les mains.*)

Indiscutablement, ça schlingue le sapin.
Sapin! Les croix... Magne ton train, Monroe.

(*Il appelle.*)

Des planches!

(*Reparaît Machin.*)

MACHIN (*interrogateur*)

Hm?

JAMES

Va, lavaisse un peu glisser ta sauce blanche
J' suis à la bourre... Où qu'ils en sont, ceux des recherches?

MACHIN (*ouvre cinq doigts*)

JAMES

Cinq broquilles, pas plus?

(*Machin ajoute trois doigts.*)

Que huit?

(*Machin fait signe que oui.*)

Ah... les faux derches...

(*Machin ouvre la bouche et va parler, James l'arrête.*)

Non! Boucle-la! Cloque-moi la peinture noire
Il en reste d'hier.

(*Machin fait signe.*)

Lagà? Dans le placard?
Ripe... Je fais les croix... Faut que ça soit du kif
Avec les autres... Toi, Machin, prends le poincif...

(*Machin acquiesce, prestement James cloue deux croix et les passe à Machin.*)

Un bon coup de barbouille et ça sera fini...
Remue ton fias, ducon.

(*Machin fait des efforts affreux pour parler, sans y arriver, et ça explose enfin.*)

MACHIN

Mais patron... c'est pour qui!

JAMES (*l'air furieux*)

(*Machin a un geste d'impuissance.*)

Je t'affranchis, Machin... si tu joues au couillon
Tu dégustes...

(*Machin a un geste de demande grâce.*)

Va donc faire le serbillon
J'en ai quine de tes galoups de pauvre pante
On dirait que tu tends à me foutre en carante
Pour la dernière fois, Machin, boucle ta malle

(*Machin redemande par gestes pour qui c'est.*)

L'une est pour la mistonne et l'autre pour le mâle
Tu renaudes?

(*Machin fait signe que non.*)

Renaude, et tu t'en farcis trois...
C'est du nougat d'en faire une de plus pour toi...

(*Machin finit de peindre en vitesse et fiche le camp.*)

JAMES (*méditatif*)

Si ce locdu persiste à me passer en double
Il faudra que monsieur s'attende à la carouble...

(*Il transporte les croix dans le placard, regarde sa montre.*)

Six broquilles...

(*Va à l'escalier, appelle.*)

Martha! Gaffez donc ce vermeil
Une chouette balade en skis dès le réveil
Ça vous cloque le teint des couines de beauté...

(*A part.*)

Remue ton fias, morue, sinon tout est raté...

(*Paraît enfin Martha en haut de l'escalier.*)

SCÈNE II

MARTHA

Vous m'appelez?

JAMES

Pardi... matez ce temps splendide
Et vous traînez au page à lire Thucydide
Ce n'est pas le moment, foutrebleu...

MARTHA

Cher ami...
Que disiez-vous que je lisais?

JAMES

C'est pas permis
De s'enchtiber par ce beau temps; y a pas d'affure...

MARTHA

Vous voudriez me voir me casser la figure
Sur ces affreux engins?

JAMES

Martha, j'en suis certain
Vous skiez au loilpé, c'est pas du baratin.

MARTHA (*rit, coquette*)

Vous me flattez... Si je la fais cette descente
Qui va me ramener sans un remonte-pente?

JAMES (*offensé*)

Pas de vanne, Martha; si c'était glandilleux
Je vous le bonirais

MARTHA

Seule, c'est ennuyeux...

JAMES (*à part*)

La conarde... c'est long.

MARTHA

J'ai déjà mes chaussures
Mais vos skis sont trop grands pour moi, je vous assure.

JAMES

Je les ai chanstiqués pour vous...

MARTHA

Qu'il est mignon...
Oh, ça vaut une bise!

(*Il proteste.*)

Oh, si, c'est trop trognon!

(*Elle lui fait la bise.*)

JAMES (*se dégage*)

Magnotez-vous, sinon, le luisard va tourner.

(*Elle s'assied et posément se relace .Il est sur des charbons.*)

MARTHA

Mais non, ça, c'est parti pour durer la journée.

JAMES

Je vous cloque vos skis...

MARTHA

Vous êtes bien pressé
De vous débarrasser de moi...

JAMES

Vous me chambrez,
Mais si j'osais, Martha, c'est à la surprenante
Que je vous cal'cerais d'autor... sur la carante

MARTHA

Oh! C'est dur... le divan ne vous plairait pas mieux?

JAMES

Zéro pour le divan...

MARTHA

Pourquoi... Ça, c'est curieux!...
Je vous croyais sans préjugés.

JAMES

Cette petite
Qu'est calenchée dessus...

MARTHA (*vicieuse*)

Je crois que ça m'excite
Encor plus...

JAMES

Ah! Ça va... vous êtes...

MARTHA

Je suis quoi?
Dites-le... dis-le donc cochon... Tu restes coi...

JAMES

Votre saloperie me fait trop mal au bide.

MARTHA

Vous croyez donc vraiment que je lis Thucydide
Mais non, c'est vos romans que je lis, cher Monroe
Et vraiment... vous restez bien loin de vos héros...

(*Elle a un rire vexé et prend les skis.*)

Au revoir... grand auteur... soignez-vous bien les bronches.

JAMES (*à part*)

Mais la garce ma foi s'atrique un peu ma tronche!

MARTHA

Je remonterai seule! Il faut vous reposer!

(*Elle sort et James pantelant s'effondre sur le divan comprimant son cœur et regarde sa montre.*)

JAMES

Une broquille encore et tu vas exploser,
Ravelure...

(*Il se redresse.*)

En lousdoc, il en reste encore un
Le pendu putatif...

(*Il ricane, regarde les croix de bois.*)

Ça ressemble à Verdun,
En plus trognon... Gigo...

(*Regarde sa montre.*)

Plus que quatre broquilles
Et ma crèche sera bourrée d'un tas de billes
Qui ne dégauchiront que six croix en bois noir...
Je planquerai Martha — ses morcifs — dès ce soir
Sous la sienne... et le trèpe y matera que nib
Le Titan de mes deux... le Titan... Je l'enchtib
Dans ce placard, et quand les gniards sont décarrés
Je remets tout nickel... Allons-y... Sans charrer
Ma combine est pas tarte et sauf un courant d'air
Je vais les maraver tous jusqu'au der des der
Au gros tas...

(*Il monte l'escalier.*)

Hé, Titan... Venez mater, mon pote
J'ai gambergé un truc qu'a vraiment rien de fiote
C'est pas que tchi, monsieur...

TITAN (*apparaît en haut de l'escalier*)

SCÈNE III

TITAN

Vous m'appeliez, peut-être ?

JAMES (*lui entoure le cou de son bras et l'approche de la rampe. Discrètement il lui passe le nœud coulant autour du cou.*)

Lagà, si l'on bliglouse, on voit par la fenêtre
Grimper l'équipe de secours...

TITAN (*ironique*)

Comment... déjà?
Je me plaisais chez vous... cette vie de rajah!...

JAMES

Vous me chambrez!

(*On entend une explosion terrible.*)

Martha'

TITAN (*l'œil éveillé*)

Comment Martha?

JAMES (*rit, gêné*)

La largue...
Est du genre explosif... alors... heu...

TITAN (*soupçonneux*)

C'est bien vague
Écoutez donc, Monroe... puisque c'est le moment
De nous quitter, je vais vous dire franchement
Qu'il y a quelques faits qui me semblent bizarres.

JAMES (*regarde sa montre*)

Affalez-vous...

TITAN

D'abord, cette étrange bagarre
Où Jonas a perdu la vie...

JAMES

C'était un chpil
Qu'a mal viré je reconnais...

TITAN

Parlons du kil...
Non... la mort de l'hôtesse?

JAMES

Elle est clamcée du choc...

TITAN

Croyez-vous? Nous eussions percuté sur le roc
Je ne dirais pas non, mais cette neige molle...
Passons... expliquez-moi cette insistance folle
A nous faire goûter de votre vin de riche.

JAMES

Je vous ai fait goinfrer de celui que je liche,
Mézigue...

TITAN

Je veux bien, mais Robur et Coccyx

(*James avait passé son bras autour du cou de Titan, l'a retiré et les deux hommes sont — Titan adossé à la balustrade sciée, James devant lui, — face à face.*)

En sont morts... Nous restons à peine deux sur six.

JAMES (*se décide*)

Y en a plus qu'un, papa...

TITAN

Martha?

JAMES

Cette explosion

L'a repassée de pre.

TITAN

Que sont vos prévisions?

JAMES

Vous gambergez de trop.

TITAN

Ce sera donc?

JAMES

La corde!

(*Il le pousse brusquement, la rampe cède et Titan tombe dans le vide et se trouve pendu avec un râle d'horreur.*)

TITAN

Ah!

JAMES

Vieux cador... pourquoi fallait-il que tu mordes?
C'eût été de la tarte avec un empaffé

(Il se passe la main sur le front et se ressaisit, puis salue le mort.)

Chapeau, mon gros pendu... mais tu l'as pas griffé...
Pour un peu, je carmais.

(Il se presse, le décroche en le laissant descendre jusqu'au sol.)

S'en faut que d'un chouïa
Mais le gadjo Monroe porte la baraka

(Il ricane.)

La fortune a boni son faible pour les forts
Grand merci, la roummi...

(Il se découvre et salue.)

Mais... je crois que j'ai tort
De pinocher sur un turbin déjà honnête

(Il tire Titan vers le placard.)

Affurons l'embellie... par lagà, grosse bête...

(Il le tasse dans le placard dont il sort les croix et retire la clé puis se précipite au dehors et plante la croix. On le voit jeter un regard à droite puis tomber à genoux. Quelques secondes plus tard, surgissent sur la droite deux guides en tenue, couverts de neige. On les voit lui serrer la main puis il les fait entrer.)

SCÈNE IV

PREMIER GUIDE

Alors, ils sont tous morts?

JAMES

Hélas

PREMIER GUIDE

Je m'en doutais.

DEUXIÈME GUIDE

Ah, lorsque c'est l'hiver, si le monde écoutait
La voix de la raison...

JAMES

Tu l'as boni, mon pote
On prendrait ses pinceaux.

PREMIER GUIDE

Leurs trucs, c'est de la crotte
C'est pas au point. Et pis il n'y a rien à dire
En bagnole, il arrive encor que l'on s'en tire
Mais un avion qui tombe...

JAMES

Eh, oui...

DEUXIÈME GUIDE

Les pauvres gars
Alors, vous les avez ramenés de là-bas?

JAMES

On n'allait pas laisser la viande disparaître
Dans la blanche... Ils sont tous planqués sous ma fenêtre
Pionçant le roupillon dont jamais on ne sort

(*Il a un haussement d'épaule mélancolique.*)

Pour mézigue, après tout, ce sont un peu mes morts...
Ces tartes croix de bois, bien sûr, c'est pas grand-chose...
Quand viendront les lilas, j'attriquerai des roses
Songez qu'ils ont matchavé sans curton.

PREMIER GUIDE (*tousse, ému*)

Monsieur
Je ne vous connais pas... mais je vous comprends mieux
Après ces quelques mots qu'au bout de dix années...
Vous êtes un chic type...

DEUXIÈME GUIDE

Ah, quelle destinée
Que de venir périr dans cet endroit désert...

JAMES (*les désigne*)

Je tirerai près d'eux les marqués de l'hiver...
Seulabre, sans miter... Leurs âmes engourdies
Se désentifleront de la came attiédie
Par le beau blond, pour débloquer tout bas tout bas
Les tuyaux éternels qu'on esgourde là-bas...

PREMIER GUIDE (*frissonne*)

A la vôtre... pour moi, je m'en vais redescendre
Inutile, je crois, d'aller fouiller la cendre
De l'avion.

JAMES

La fondante est quimpée ces trois jours
En si vache épaisseur, que vous pouvez toujours
Y bigler... Mais je crois que c'est gâcher sa peine...

DEUXIMÈE GUIDE

Alors, puisqu'il n'y a rien qu'il faut qu'on ramène
On va se retirer...

JAMES

Pas sans licher un coup
De pif d'Arbois?...

PREMIER GUIDE

Oh... Bien... monsieur... merci beaucoup
Mais si ça vous dérange...

DEUXIÈME GUIDE

Il faudrait nous le dire.

JAMES

J'en ai là sous la griffe.

(*Il s'affaire au placard à liqueurs, revient avec deux verres pleins, les tend.*)

PREMIER GUIDE (*claque la langue*)

Eh... J'en ai bu du pire...

DEUXIÈME GUIDE

Pour sûr qu'il est fameux...

JAMES

On peut pas battre à niort
Que c'est du bon tutu... mes poteaux l'aiment fort
Mais vous êtes pressés d'alerter les baveux
Filez-leur du grelot si ça vous rend nerveux.

(*Il désigne le téléphone.*)

PREMIER GUIDE

On va s'en retourner... là-bas... Merci pour tout.

JAMES

Et si vous renquillez...

DEUXIÈME GUIDE

Sûr qu'on revient chez vous!

(*Il les raccompagne à la porte. Au revoir, poignée de main. Les deux guides repassent devant la baie, vers la droite, non sans s'arrêter une seconde devant les croix.*)

SCÈNE V

Resté seul, James revient au milieu de la pièce et s'apprête à enlever sa combinaison de travail, mais se ravise. Il va à la porte de la cuisine, l'ouvre brusquement et voit Machin baissé, l'oreille à la serrure. Il se relève, James lui fait signe d'entrer dans la salle.

JAMES

Je suis bourru. Ça va. Je peux encor clocher
Que c'était du bidon, mais toi, tu vas lâcher
Le cambut que tu veux me bonir.

(*Un temps.*)

Gy, vas-y.
T'en as pas class' alors, de ta fausse aphasie?

(*Machin reste silencieux.*)

Tu sais ce que t'affures à jouer le malin?

(*Silence prolongé.*)

Oqué! Ça te pravend, tu vas comme un moulin
Mais quand il faut balanstiquer la benne-ferte
Tu renaudes. Faut-il te passer en couverte?
Tu y vas du trognon, malheureux enfifré
Tu sais faire la fripe, et, moi j'aime à jaffer
Mais ça cambute rien... J'ai repassé six mecs
Et la mistonne; et toi, le valton, tu l'as sec
Parce que les derniers, c'était pour le plaisir?
Tu crois que tout à l'heur' j'avais qu'à leur bonir
A ces pauvres locdus, d'amener les gisquettes
Et le gros fignarès? Pour passer aux assiettes
J'avais qu'à les laisser décarrer...

MACHIN

Chef, je jure
Que je ne pense rien qui vous soit une injure...

JAMES

Mais tu jactes, Machin. Tu jactes, c'est assez
Pour porter le bada. Je vous vois enlacés
Ta bergère et toi-même... on s'autiche, on se suce
Un peu la pomme, on pointe, on se cherche les puces
Subito, la nana te balance : « Machin
Bonis-moi donc un peu de ce vache écrivain
Chez qui tu sers? » ... Et toi, doublé par les caresses
Tu bavoches d'entrée, lui pelotant les fesses,
« Ah... oui... le Maraveur... » « Comment, s'écrie Margot
Maraveur, ton patron? » Voici que les ragots
Commencent à bouillir sur le rif de la rue,
Margot le passe à Jeanne, et Jeanne, la morue,
Rencarde son Lucien dont le frangin est flic
Lucien, sans débander, saisit sa pointe Bic
Et mange le morcif. La maison j' tarquepince

En reluit de plaisir... car c'est tous des jalminces
Et j'y vais du gadin comme fifre. Tu mates?
J'ai pas encor envie de renvoyer mes lattes.
Je n'ai que trente-huit carats.

MACHIN

Patron... le verbe
Va m'être retranché comme on arrache une herbe?...

JAMES

Arraché... c'est le mot que je cherchais, tu vois
Jusqu'au dernier jourdé j'apprécierai ta voix...
Arracher... Cher Machin... Zone-toi sur la table...
Allonge-toi...

(*Machin obéit machinalement et pour cause. James tire de sa poche la corde de Titan qu'il y avait rangée. Machin se redresse.*)

MACHIN

Patron, s'il est incontestable
Que mon infirmité risque de vous trahir
N'ayez pas la rudesse horrible du menhir
Et laissez-moi clamer en cet instant ultime
Le chant désespéré que m'inspirent les cimes.

JAMES

Va... Je vais esgourder ta débloque foireuse
Pourtant tu dois avoir la bavarde râpeuse,
Mais faisons chou pour chou : comme je suis moulu
Je vas prendre un guindal de sirop de tolu.

(*Il va au placard, se verse, boit et va fermer à clé successivement toutes les portes dont il met les clés dans sa poche tandis que Machin va déclamer un peu partout comme un ours dans sa cage et qui lirait Claudel.*)

MACHIN

Salut, ô mon dernier Matin

JAMES

Salut, ô mon premier Machin

MACHIN

Que vous êtes joli... que vous me semblez beau
La moitié de ma vie a mis l'autre au tombeau
Les cormorans vainqueurs s'abattent sur ma nuque
Les armées s'entre-tuent dans la plaine de Lucques
Et de longs hurlements s'envolent à la nuit
La parole déjà me déserte et s'enfuit
Las! Je ne pourrais plus, saisi par une crise
Appeler l'hypérion des vieilles maisons grises
En arpentant le toit par un beau soir de mai
Adieu parole! Adieu grands discours que j'aimais
A mon geyser jovial on va couper les ailes
Pourtant, je fus toujours un valet plein de zèle
Jamais je n'abusai de mon épilepsie
Au point de m'écarter de la pure ineptie
Mais c'en est fait... Monroe, ce maître impitoyable
A décidé de me...

(*Il s'arrête muet, porte les mains à sa gorge, impuissant, ressaisi par sa paralysie.*)

JAMES

Cloquer sur cette table...
Radine par ici...

(*Machin s'approche halluciné et obéit comme un automate. Monroe jette la cigarette qu'il fumait et prend sa corde. Il le ficelle en silence sur la table, puis va chercher une cuvette blanche et empoigne ses tenailles.*)

Ouvre la goule... allons...

(*Machin ouvre la bouche. Monroe lui fourre les tenailles dans la bouche et lui arrache la langue qu'il jette dans la cuvette. Râles affreux de Machin qui se débat si fort qu'il brise ses liens et se dresse, affreux à voir. Il court çà et là en se tenant la bouche et en hurlant.*)

Ne flanque pas du raisiné plein le salon
C'est dégueulasse, enfin!

(*Machin se jette par terre à genoux, la tête dans ses mains.*)

Renquille à ta pagode
Tu m'énerves, locdu...

(*Machin s'éloigne, brisé, Monroe repose sa tenaille, allume une autre cigarette et regarde le sang autour de lui.*)

Du vrai bœuf à la mode!
Trois jourdés gaspillés grâce à tous ces ballots...

(*Il se relève, va à la glace, se regarde.*)

Il faut me rebecter... je suis un peu pâlot...

(*Passant devant la baie, il aperçoit, comme les spectateurs depuis quelques secondes, deux soldats poldèves en uniforme qui se hâtent vers la villa.*)

Des griftons par ici?...

(*Il regarde mieux.*)

Ça, c'est un peu badour...
Des Poldèves?

(*Il regarde sa cuvette, la prend, l'emporte et la fourre dans le placard, hausse les épaules.*)

Planquons ce qui voit pas le jour...
Que vont glander ces matz autour de ma roulotte?

(*Regarde son petit cimetière.*)

J'ai la placarde encor de crécher quelques fiotes...

(*Il se frotte les mains.*)

J'avoue que mastéguer seulabre et sans personne
Ça me faisait tartir. J'ai du vase.

(*Les soldats sont là, cherchent la sonnette.*)

Mais sonne,
Lavedu... je suis là... pour t'affranchir...

(*On sonne.*)

Entrez...

(*Entrent les deux Poldèves.*)

SCÈNE VI

PREMIER POLDÈVE

Salut, monsieur.

DEUXIÈME POLDÈVE

Pardonnez-nous de pénétrer
Chez vous sans vous avoir fait prévenir d'avance
Mais la neige est si haute en ces Alpes de France
Que nous n'avons pas pu.

JAMES

Que voulez-vous, les gars?

PREMIER POLDÈVE

Eh bien comme monsieur peut constater je crois
Nous sommes des soldats de l'armée de l'Onu
En manœuvres d'hiver, et nous sommes venus
Vous informer de l'arrivée très imminente
De notre compagnie.

JAMES

Cavombavien?

DEUXIÈME POLDÈVE

Quarante
Nous compris.

JAMES (*un peu déçu*)

C'est par lerche.

PREMIER POLDÈVE

Allons, ce n'est pas mal.

JAMES (*se rassérène*)

Quarante tafiateurs... Mes poteaux, c'est normal
Que le ciblot se mouille et fasse au militaire
Le plus pinoche accueil... Sans moufter, j'obtempère
Et vous fourgue ce soir toute cette cagna
Sauf ma carrée...

PREMIER POLDÈVE

Bien sûr...

JAMES

C'est que mon barbagna
Craint plutôt le frigo. Je conserve ma turne
Car je veux éviter de me geler les burnes.

PREMIER POLDÈVE

Mais il n'est pas question...

JAMES

Milords, n'en jactons plus
Le plaisir est pour moi... mais ce qui m'aurait plu
C'est que vous ralégiez pour jaffer à ma table
Ce borgnio!

DEUXIÈME POLDÈVE

Mais monsieur...

PREMIER POLDÈVE

Vous êtes trop aimable
Un tel dérangement...

JAMES

Je remets ça, soldats
Faites-moi cette fleur... ne vous détranchez pas...

Je vis vachement seul dans ce hangar immense
Et je reluirai sec d'avoir votre présence
A la clape.

PREMIER POLDÈVE

Tous les quarante?

JAMES

On a rancart!

DEUXIÈME POLDÈVE

Vous êtes trop gentil...

JAMES

Ce sera très choucard
Mes amis, nous allons chatouiller la boutanche!

PREMIER POLDÈVE

On pourrait vous aider?...

JAMES

Plutôt que je calenche!
Vous ne maquillerez pas un geste au dîner
Mécolle vous arrose.

(*Se frotte les mains.*)

On s'en va vous soigner.

PREMIER POLDÈVE

Eh ben, merci monsieur.

DEUXIÈME POLDÈVE

On va chercher les potes

JAMES

Je vous ferai briffer une de ces compotes!...

(*Il les reconduit.*)

A ce soir!

(*Referme la porte.*)

LES SOLDATS

A ce soir!

(*James revient se frotter les mains.*)

JAMES

Quarante... un peu comac!...

(*Regarde son cimetière, hoche la tête, et va ouvrir un placard et en tire des planches à croix.*)

JAMES

Et Gy! Mes planchaga... Maintenant...

(*Il empoigne son marteau.*)

Mon darracq!

(*Il commence à clouer, trois grands coups et le rideau tombe.*)

FIN

LE CHASSEUR FRANÇAIS
(1955)
Comédie musicale en trois actes

PERSONNAGES

Justin BLAIRJUSTE, *détective.*

NÉRON, *son aide.*

Jacques MARTIN, *agrégé de philosophie, romancier noir.*

ANGÉLINE, *Marquise de Piripin, fanatique de la* Série Noire.

VIRGILE, *détective de l'Agence Dubuc, Dubuc et Dubuc Fils.*

LE R. P. BRIQUE, *dominicain, frère d'Angéline, agrégé de philosophie.*

CLÉMENTINE, *sa nièce.*

CARLOS, *neveu de la Marquise et du R. P., cousin germain de Clémentine.*

ANDRÉ, *agrégé de philosophie, ex-camarade de Jacques, chauffeur de la Marquise de Piripin.*

PREMIER MACHINISTE, *peut être joué par l'acteur qui joue Blairjuste.*

DEUXIÈME MACHINISTE, *peut être joué par l'acteur qui joue Virgile.*

MME BENZINE, *mère du petit prodige Ricardo Benzine.*

RICARDO BENZINE, (*un nain*), *petit prodige chef d'orchestre.*

JOSEPH, CHEVAL QUI PARLE, *agrégé de philosophie.*

LE PREMIER ACTE se passe au coin d'un bois.

LE DEUXIÈME ACTE se passe chez la Marquise de Piripin.

LE TROISIÈME ACTE se passe dans la salle d'attente de Télé-Paris, rue Cognacq-Jay.

ACTE I

DÉCOR

Le coin d'un bois. Pour qu'il soit bien apparent, choisir un bois carré de préférence. Un chemin terreux, peu fréquenté, en fait le tour, du coin du bois. Le seul élément notable est un banc, de bois aussi, vermoulu, sur lequel on peut mettre un coussin rouge, moi ça ne me gêne pas. De l'un des côtés du banc, un arbre fort différent des arbres du bois en ce sens qu'il est visiblement vrai et non pas peint (comme Denis). Sur cet arbre, une pancarte porte en grosses lettres le repère topographique :

BOIS DES HOMARDS

Le temps est neutre, et deviendra crépusculaire.

Lorsque le rideau se lève, la scène est vide à l'exception des éléments ci-dessus, largement suffisants à notre sens pour captiver l'intérêt du spectateur pendant quelques secondes.

Ces quelques secondes écoulées, par le moyen d'un dispositif bruiteur quelconque, on entend le son subit d'une voiture qui approche (pas trop vite), s'arrête à la cantonade ou sur la scène, selon les ressources du producteur. Grincements de freins, bruit de portière, etc. Vague murmure de voix, puis, s'ils n'y sont pas déjà, deux hommes apparaissent, JUSTIN-BLAIRJUSTE *et son séide* NÉRON, *détectives.* NÉRON *est camouflé en arbre mort et porte sous son bras le haut dont il se coiffera. Il a un volet dans le tronc à la hauteur de sa poche gauche (si on est très riche, il peut en avoir un autre à droite par où sortira un coucou horaire).*

SCÈNE PREMIÈRE

Justin BLAIRJUSTE, NÉRON, *son aide*

BLAIRJUSTE

Nous y voilà donc (*il lève le nez, lit la pancarte*) Bois des Homards. C'est bien l'endroit du rendez-vous.

NÉRON

Il a pas mal choisi son coin, Monsieur Blairjuste.

BLAIRJUSTE

Oh, c'est un professionnel. Voyez-vous, Néron, nous en étions persuadés sitôt que nous avons lu la première annonce, à la suite de laquelle nous décidâmes de suivre l'affaire. Voyons. Soyons méthodiques et circonspects. Avez-vous lu la dernière lettre ouverte par le journal?

NÉRON

Mais oui, m'sieur Blairjuste... si vous voulez la prendre vous-même dans ma poche gauche, vu que je remue difficultueusement.

BLAIRJUSTE

Je sais, Néron, je sais... mais ça ne va durer qu'un moment. (*Il le fouille par le petit volet du tronc.*) Ah... le voilà... non... c'est pas ça. C'est du papier de soie...

NÉRON

M'sieur Blairjuste... la lettre est juste à côté... Excusez-moi, m'sieur Blairjuste...

BLAIRJUSTE

Mais... euh... c'est tout naturel, mon brave Néron... moi aussi, j'ai horreur du journal... voyons... ah... (*Il tire un papier.*) C'est ça... voilà la lettre. Voyons voir... (*Il lit.*) Route nationale numéro onze mille deux cent cinquante-quatre. C'est ça... vers six heures et quart. (*Il regarde sa montre.*) C'est ça... au coin du Bois des Homards, près du banc... voilà le banc... Parfait.

NÉRON

Si j'ose me permettre, m'sieur Blairjuste, je crois qu'il n'y a pas à s'y tromper. Vous avez mis dans le mille.

BLAIRJUSTE (*se rengorgeant*)

Voyez-vous, mon cher Néron, depuis un malheureux accident déjà ancien d'ailleurs, et amplifié considérablement par une presse avide de scandale, la direction du *Chasseur français* de Saint-Étienne, à laquelle je m'honore d'être attaché en qualité de détective titulaire, m'a prié d'éplucher avec soin les annonces matrimoniales que ce journal...

NÉRON (*l'interrompant*)

C'est un journal rudement bien fait, m'sieur Blairjuste. Dans le dernier numéro, il y avait un truc sensationnel sur la chasse au castor de Pologne...

BLAIRJUSTE (*distant*)

Ne m'interrompez pas, Néron, quand je cause. Bref, ce journal reçoit par centaines des annonces matrimoniales qui constituent une part essentielle de son activité. Mais il est aisé de les utiliser à des desseins illégaux, le *Chasseur français* ne l'ignore pas. Aussi exerce-t-il un sévère contrôle sur ces annonces. C'est pourquoi, depuis l'arrivée de la lettre de ce monsieur Alexandre, lettre que, comme moi, vous connaissez par cœur...

NÉRON et BLAIRJUSTE *en* (*chœur*)

Qui viendra partager la solitude d'un quinquagénaire robuste, haute taille, sourire un peu amer, cheveux argentés, mince, un million par an.

NÉRON (*seul*)

Désireux fonder union durable basée sur confiance réciproque. (*Il ricane.*)

BLAIRJUSTE (*seul*)

Éprouvé par multiples difficultés familiales, très sauvage, ne puis envisager qu'une personne distinguée, divorcée ou veuve.

NÉRON et BLAIRJUSTE (*ensemble*)

Absolument seule, sans parents ni amis, possédant capital en rapport...

NÉRON

Envisageant reporter affection sur personne unique.

BLAIRJUSTE

Discrétion d'honneur assurée. (*Il ricane.*)

NÉRON (*dramatique*)

Écrire au *Chasseur français*, numéro neuf cent seize.

BLAIRJUSTE

Néron, vous l'apprendrez comme moi au cours d'une carrière qui sera, je l'espère, couronnée de succès, une condition aussi suspecte ne pouvait échapper à la direction du *Chasseur français.*

NÉRON (*timide*)

M'sieur Blairjuste.

BLAIRJUSTE

Quoi, Néron?

NÉRON

M'sieur Blairjuste, j'ai pas bien compris pourquoi c'était suspèque?

BLAIRJUSTE

Vous êtes bien jeune, Néron... il s'agit de la clause : « Absolument seule, sans parents ou amis. »

NÉRON (*bête*)

Ah, oui, m'sieur Blairjuste?

BLAIRJUSTE

Ne comprenez-vous pas que c'est louche?

NÉRON

Si, m'sieur Blairjuste.

BLAIRJUSTE

Pourquoi seule?

NÉRON

Oui, m'sieur Blairjuste, pourquoi?

BLAIRJUSTE

Mais pour lui faire son affaire impunément...

NÉRON

Lui faire son affaire impunément... Ah! (*Il s'éclaire.*) J'ai compris, m'sieur Blairjuste. (*Convaincu.*) Vous expliquez drôlement bien, il faut dire...

BLAIRJUSTE (*flatté*)

Néron, je vous formerai. Vous avez de l'étoffe. Donc, au lu de cette suspecte clause, la direction du *Chasseur français* me lance, tel le Comanche des prairies, sur la piste encore fumante... (*Néron l'admire béatement.*) Car la diffusion et la réputation de cet organe sont telles qu'il ne faut pas laisser le criminel en puissance s'attaquer à la colombe innocente qu'il veut capturer dans ses rets.

NÉRON

Ses quoi, m'sieur Blairjuste?

BLAIRJUSTE

Ses rets. Néron, ses filets.

NÉRON

Il veut capturer des raies dans ses filets? C'est un pêcheur?

BLAIRJUSTE (*endurci*)

Néron, le rôle social du *Chasseur français* est immense... il met en rapport les esprits éplorés, il tend un trait d'union typographique...

NÉRON

Et mensuel...

BLAIRJUSTE

Entre les âmes éprises de compréhension qui se rongent, solitaires dans leur province lointaine... il fait battre à l'unisson...

NÉRON

Et pour pas cher...

BLAIRJUSTE

Les cœurs innombrables des timides... (*Musique.*) Ah! Néron... le *Chasseur français*... (*Il chante.*)

Dans l'ancienne Grèce
Vénus et son lardon
Un bébé tout en fesses
Qu'on app'lait Cupidon
Se baladaient sans cesse
Dans l'ancienne Grèce
Le Dieu et la Déesse
Des jeux de l'édredon

NÉRON

Vénus était si belle
Qu'on tombait à genoux
Un teint de mirabelle
Et des grands cheveux roux
Mais surtout ses fidèles
Adoraient tous en elle
Son triangle isocèle
Et ses beaux roudoudous

(*Musique stoppe.*)

BLAIRJUSTE (*parlé*)

Écoutez, Néron... vous exagérez... soyez correct... nous sommes entre nous, c'est d'accord... mais vous êtes un peu cochon.

NÉRON

Excusez-moi, m'sieur Blairjuste... j'ai été emporté par le souffle lyrique...

BLAIRJUSTE

Allez, allez, changez-moi ça.

NÉRON

Oui, m'sieur Blairjuste.

(*La musique reprend à : « Mais surtout... »*)

NÉRON (*reprend*)

Mais surtout ses fidèles
Adorent tous en elle
Euh... Son œil qui étincelle
Et son corps d'amadou
L'enfant armé de flèches
Voltigeait à l'entour
Il allait à la pêche
La pêche de l'amour
Timides et pimbêches
Tous ceux qui se dessèchent
Il faisait une brèche
A leur cœur un peu gourd

NÉRON

Voilà que les yeux brillent
Et que l'on voit chanter
Les garçons et les filles
Qui n'osaient pas aimer
A l'ombre des charmilles
On ne joue plus aux quilles
Voilà que les yeux brillent
On entend des baisers

BLAIRJUSTE

Oui mais de nos jours, Vénus n'est plus là
Elle est remontée sur l'Hymette
Elle s'est vexée quand le cinéma
Lui a préféré d'autres vedettes

NÉRON

Éros a grandi, il a des moustaches
Il a j'té l'arc et le carquois
Il a des lunettes et boit du lait d' vache
Et il est sérieux comme on n' l'est pas

ENSEMBLE

Mais heureusement
Mais heureusement
Le *Chasseur français*
A pris le relais
Mais heureusement
Mais heureusement
Le *Chasseur français* sauvera les amants
Envoyez-lui des lettres
Expliquez vos tourments
L'amour est là peut-être
Qui vous guette au tournant

NÉRON (*parlé*)

Jeune fille solitaire
Fort bien sous tous rapports
Recherche militaire
Ni trop mince ni trop fort

BLAIRJUSTE (*parlé*)

Veuve encor jeune et belle
De soixante-quinze ans
Redeviendrait pucelle
Au bras d'un cœur aimant

CHŒUR

Écrivez-lui donc
Écrivez-lui donc
Le *Chasseur français*
N'a que des succès
Écrivez-lui donc
Écrivez-lui donc
Le *Chasseur français* remplace Cupidon
Voleur ou géomètre
Tailleur ou pharmacien
Envoyez-lui vos lettres
Et tout finira bien
Envoyez-lui vos lettres
Et tout finira bien...

NÉRON (*ricane*)

Bien... bien... Tout finira par un mariage... si on peut appeler ça finir bien...

BLAIRJUSTE

Néron, ne soyez pas amer... Je vais vous confier un secret. Néron, sachez que j'ai rencontré ma femme, Madame Blairjuste, par l'intermédiaire du *Chasseur français*!...

NÉRON

Ah! ça, alors... c'est plus que formidable (*il cherche puis, platement*) c'est... formidable.

BLAIRJUSTE (*regarde sa montre*)

Mais il est six heures, Néron. A votre poste. C'est un premier rendez-vous, ils seront tous deux en avance.

NÉRON (*admiratif*)

Ce que vous connaissez le cœur humain, vous alors, m'sieur Blairjuste.

BLAIRJUSTE (*de très haut*)

Hélas! Assez bien, Néron, assez bien... Tenez... mettez-vous ici près du banc. Vous avez les feuilles mortes?

NÉRON

Ah, non, minute... pas de concurrence pour la musique...,

BLAIRJUSTE

Mais ce n'est pas ça, crétin. Le petit sac.

NÉRON

Dans ma poche. (*Blairjuste fouille et sort des feuilles mortes qu'il commence à répandre.*)

BLAIRJUSTE

Votre micro est branché?

NÉRON

Je n'ai qu'à tourner le truc.

BLAIRJUSTE

L'interrupteur.

NÉRON

J'ai qu'à tourner l'interructeur. Et tout s'enregistre sur la manette au faune.

BLAIRJUSTE

Sur le magnétophone.

NÉRON

Sur le machinophone.

BLAIRJUSTE

Alors tout est prêt. Baissez la tête. (*Il le coiffe du cimier de branches — Néron braille.*) Qu'y a-t-il?

NÉRON

C'est mon oreille.

BLAIRJUSTE (*sentencieux*)

Il ne faut jamais mettre son oreille entre l'arbre et l'écorce. Je vous laisse, Néron. A tout l'heure.

NÉRON (*voix assourdie*)

Au revoir, m'sieur Blairjuste.

BLAIRJUSTE

Et ne vous trompez pas. Il doit porter un gardénia blanc à la boutonnière et lire un journal du soir. Elle aura un tailleur à damiers noirs et blancs. Attention à vos racines. Et ne remuez surtout pas. Sauf s'il y a du vent.

(*Il s'éloigne, puis, bruit de démarrage.*)

SCÈNE II

La scène reste vide quelques instants — puis on entend fredonner — Un homme entre — perruque grise, gardénia blanc, journal du soir — sympathique. Examine l'arbre avec intérêt — tourne autour — le scrute — regarde à droite, à gauche, puis, le dos au public fait prestement pipi contre.

Se reboutonne — regarde sa montre, hausse les épaules — musique en sourdine. Il attend, puis s'assied — regarde sa montre — chante.

JACQUES (*solo*)

1

Le premier
Je suis le premier au doux rendez-vous
Que tu m'as donné
Le décor
Le décor est là, il n'attend que toi
Amie que j'adore
Sur ce banc
Tous deux sur ce banc, nous échangerons
Des aveux charmants
Les premiers
Les premiers aveux de deux amoureux
Les premiers baisers

2

Ton visage
Je ne connais pas ton visage aimé
Ravissante image
Mais bientôt
Tu seras bientôt près de moi, chérie
Ne viens pas trop tôt
Laisse-moi
Laisse-moi rêver un instant encore
Un instant d'émoi
Je t'attends
C'est si délicieux de s'attendre ainsi
Et si excitant

3

Une fleur
Je porte une fleur que j'ai accrochée
Tout près de mon cœur
Un journal
Un journal du soir pour nous retrouver
C'est notre signal
Si tu veux

Maintenant, veux-tu, viens vite et dis-moi
Comment sont tes yeux
Ne dis rien
Ne me dis plus rien, car je sais, vois-tu
Je sais que tu viens...

(*Il se lève et a un geste d'accueil vers une femme qui arrive. La quarantaine, menue, avec une voix qui contraste avec son aspect physique plutôt frêle. Il reprend son journal et marche vers elle. Il s'incline et se découvre.*)

JACQUES

Angéline?

ANGÉLINE

Alexandre?

(*Il lui baise la main. Elle sourit. Il lui offre le bras.*)

JACQUES

Puis-je guider vos pas jusqu'à ce banc propice.

(*Coup d'œil à l'arbre.*)

ANGÉLINE

Ben, d'accord. Il a l'air pépère.

JACQUES (*sursaute*)

Adorable Angéline! Quelle n'est pas ma joie, après tant d'années passées à lutter seul... parmi la canaille...

ANGÉLINE

Quoi, c'était en solo ou pas? Faudrait savoir, mon gros poulet.

JACQUES

J'ai beaucoup souffert, Angéline, et si j'ai réussi à m'abstraire de cette foule hurlante, à me dominer moi-même, c'est au prix de quel effort surhumain!...

ANGÉLINE

Alexandre, moi, il taut que je vous demande une fleur.

JACQUES

Mais la voilà... (*Il lui tend.*)

ANGÉLINE

Mais non, pas votre artichaut... vous entravez que dalle... Je veux vous demander de me faire une fleur... vous demander quelque chose, quoi.

JACQUES

Mais certainement, divine créature.

ANGÉLINE

Ben, causez-moi comme tout le monde, comme dans la Série Noire... ou comme dans les films à Bogart.

JACQUES

Les films à... (*Il se reprend.*) Les films de qui?

ANGÉLINE

Les films à Bogart, ou ceux à Burte Lancastère! C'est des mecs épatants... Des tueurs!...

JACQUES

C'est que (*il paraît très mortifié*) ma chère amie, nous sommes encore si peu intimes...

ANGÉLINE

Ben, dans les romans à Pétère Cheyney, ça va vite... à la quatrième page elles sont à poil... mince, moi j'adore ça... c'est la vraie vie... on boit du visqui... hardi... encore une rincée, Callagant.

JACQUES

J'ai fort peu fréquenté ces auteurs... j'ai pour la littérature populaire un dégoût absolument caractérisé.

ANGÉLINE

Ben alors qu'est-ce que vous lisez?

JACQUES

Uniquement nos grands classiques, Montaigne... Voltaire... Stendhal. André Gide à la rigueur.

ANGÉLINE

Oh, qui c'est qui cause encore de ces vieux mecs... ils sont tous morts... Allons, Alexandre, mettez-vous dans la course... Dites-moi que j' suis un chouette petit lot!

JACQUES

Un quoi?

ANGÉLINE

Un chouette petit lot, quoi. Et que j'ai de tout là où il en faut.

JACQUES

Mais c'est insensé, Angéline.

ANGÉLINE

Ben, quoi, vous avez un peu le genre Callagant, vous devez pouvoir causer comme lui...

(*Musique.*)

Moi, j'aime pas lire du Voltaire
Moi je me fous d'André Gide
S'il reste qu'eux pour me plaire
A tout coup ils font un bide

Tous ces viocs et leurs grandes phrases
Ils me cassent un peu les pieds
J'irai pas fourrer mon blase
Dans leurs histoire de pédés
bébés (si ça choque)

J'aime mieux la Série Noire
C'est beaucoup plus vivant
On y transforme les gens
En autant d'écumoires

Quand j'ouvre un Hadley Tchaize
Ou un Pétère Cheyney

Ça c'est des gars qui m' plaisent
Ça c'est des mecs impec

Quand i vous disent qu'on déguste
Des spaghetti par la racine
C'est plus fort que du Racine
Et c'est beaucoup plus juste
Vous pigez, garces de femmes
Tu s'ras seul dans ton cercueil
Au moins ça vous tape dans l'œil.
Et y en a toute une gamme :

Méfiez-vous fillettes
Du faucon maltais
Quand y a corrida chez l' prophète
Couchez-vous dans l' muguet
Entrez dans la danse
C'est la belle vie y a pas d' bon Dieu
Les femmes s'en balancent
En attendant mieux

C'est des titres qui vous causent
Autant qu' des coups d' pied au prose
Et les héros d' ces fourbis
I savent parler aux souris
En trois coups d' cuiller à pot
I sont en plein boulot
En trois coups d' cuiller à pot
On les a dans la peau
On les a dans la peau!

JACQUES

Je ne comprends plus.

ANGÉLINE (*coup de coude*)

Ben, c'est pas la peine de rester sur votre quant-à-soi, quoi, le *Chasseur français*, on sait ce qu'on y cherche.

JACQUES

Angéline, vous me surprenez.

ANGÉLINE

Ben moi, en vous voyant, je m'étais dit... quoi, c'est vrai que vous avez un peu le genre de Burte Lancastère et de Viliam Owell... un coquetaille des deux, quoi. C'est pour ça que j'ai pensé que vous causiez peut-être comme eux, alors je me suis déboutonnée... mais je vois que vous avez rien lu. Ça vous regarde, d'ailleurs; mais moi j'adore la littérature. Et puis je le disais dans mon annonce, que j'adorais la littérature. Dites donc, vous voulez que je vous en prête... ça vous dessalera!...

JACQUES

Angéline!... voyons...

ANGÉLINE

Ah, ça va!... écoutez, j'ai tous ceux de chez Gallimard. J'achète aussi ceux des Presses de la Cité, mais ceux de Gallimard sont les plus dégueulasses. C'est un mec qui s'appelle Duhamel, qui les choisit, Georges Duhamel.

JACQUES

Georges Duhamel? C'est curieux. Il s'occupe donc de littérature? Je le croyais médecin.

ANGÉLINE

Pensez-vous. C'est un intellectuel. Alexandre, mon chéri, je suis sûre que vous pourriez être un vrai dur. Vous avez la gueule à ça. (*Il sursaute.*) Pardon. Je suis vulgaire. Vous avez une bobine à ça.

JACQUES (*se rapproche*)

Écoutez, Angéline, si nous parlions un peu de nous deux? Dites-moi? C'est vrai que vous êtes seule? Toute seule? Et malheureuse?

ANGÉLINE

Oh, c'est des trucs qu'on met dans les annonces, formule standard, quoi... quand on veut trouver de la compagnie, parce qu'on se fait suer at home et en famille.

JACQUES

Quoi? Vous n'êtes pas veuve? Ni seule?

ANGÉLINE

Mais enfin, Alexandre, vous êtes mariole? Le *Chasseur français* est là pour les bonnes femmes qui en ont marre de chez elles!

JACQUES

C'est ignoble! Je ne vous laisserai pas dire de mal de ce journal qui ne s'attendrait certes pas à ce que vous fissiez un usage aussi immoral de ses colonnes!

ANGÉLINE

Bon Dieu! écoutez-le causer! mais quel manche avec ses colonnes! Enfin, Alex, on n'est plus en train de s'écrire des bafouilles; on est seuls dans des bois sympa, on est venus rigoler. (*Un temps.*) Et j'ai pas de culotte.

JACQUES

Oh! C'est indigne! Je suis confondu.

ANGÉLINE (*vicieuse*)

Allez, Alexandre, dites-moi que je suis un chouette petit lot et que j'ai tous les arrondis qu'il faut dans le châssis.

JACQUES (*se lève*)

Je n'en puis plus.

ANGÉLINE

Ben mince, quel empaffé... (*Il bondit.*) Oh... pardon.

(*Silence.*)

Alexandre... J'ai pas voulu vous vexer... Je suis un peu primesauteuse, mais je suis pas le mauvais cheval... (*Il se détourne.*) C'est vrai que j'aurais aimé que vous soyez un dur, même avec une sale gueule comme Édouard Robainson... oui, même comme cézigue. Et pourtant, il a l'air d'avoir pris un tremblement de terre en pleine tronche... mais avec plein de tripes dans le buffet... avec des (*elle fait le geste de soupeser des burnes*), ...avec du... ah, quoi, un dur, comme les types qui nettoient le pavé à la sulfateuse... c'est des champions! Mais vous? Vous avez l'air pas mal comme ça, et puis c'est du vent... du vide, du soufflé, du chiqué (*silence*) du pet de bonne sœur! (*Silence.*) On me dirait que vous en êtes que ça ne m'épaterait pas... (*Il saute.*)

JACQUES

Oh!... vous recommencez!...

ANGÉLINE

Allons, je disais ça pour se marrer. Ah, bon Dieu, enfin une demi-heure que je suis là et vous ne m'avez pas encore mis la main au... heu... autour du cou.

JACQUES

Angéline... je suis si déçu... Je vous demande de m'excuser... Je souffre (*il s'arrête et se couvre les yeux de la paume*), vos lettres étaient si différentes...

ANGÉLINE

C'est vrai, Alexandre... J'essayais de les écrire comme les vôtres... elles étaient tellement marrantes... même que je me disais, c'est un vrai humoriste, ce type-là, il cause comme pour se foutre de la gueule d'un chef de rayon de la Samaritaine.

JACQUES

Alors tout ce que vous répondiez, c'était faux?...

ANGÉLINE

Ben, je ne sais plus guère... je copiais des passages dans un machin que j'ai trouvé sur les quais... Le secrétaire des amants... un nommé Paul Reboux; oh, c'est pas un champion comme Hadley Tchaize, mais il écrit pas comme tout le monde... moi, d'un sens, en recopiant son baratin à l'eau de roses, j'avais l'impression d'écrire des saloperies (*elle a un rire gras*), ça m'excitait... Ah!... Ah!...

JACQUES (*à genoux*)

Angéline, je vous en conjure, ne ternissez pas en cet instant l'image gracieuse que je me suis formée de vous d'après vos lettres si émouvantes et si chastes...

ANGÉLINE (*se lève*)

Écoutez, Alex, je crois qu'on n'est pas faits l'un pour l'autre; c'est dommage, on aurait pu faire une bonne partie de pattes en l'air. Ou au moins une bonne virée... J'avais même pris du pognon pour vous emmener en java parce que, d'après votre style, je me doutais que vous n'étiez guère affranchi. Ben tant pis. Zut, vous étiez pourtant sympathique. (*Elle se rapproche.*) Allez, Alex, un effort... dis-le-moi que je suis un chouette petit lot...

JACQUES

Angéline... mon beau rêve. Oh! vous m'écœurez!...

(*La tête de l'arbre tombe, apparaît Néron.*)

SCÈNE III

NÉRON

Vous avez raison, monsieur, elle est hécœurante.

ANGÉLINE

Qu'est-ce que c'est, cette face de brème?

NÉRON

Agent Néron, de la maison Blairjuste. Justin Blairjuste sait tout, voit tout, ne dit rien (*il lui tend une carte*) et ce n'est pas cher. Monsieur, sans causer aussi bien que vous, je peux bien dire à cette dame qu'elle est une vraie salope. Moi, monsieur...

ANGÉLINE

Et alors!... De quoi je me mêle!... Non, sans blague!...

NÉRON

Silence, morue! Monsieur, moi, je respecte profondément les personnes qui causent bien et je ne lis pas les livres que lit cette dame. Je lis comme vous, moi, monsieur. Je lis des classiques français, Delly, Max du Veuzit, Magali, enfin je ne vais pas vous apprendre ni quoi ni qu'est-ce. Je dois vous dire que j'étais là depuis le début pour vous surveiller. Parce qu'on vous soupçonnait, monsieur. Le *Chasseur français* vous soupçonnerait rapport à votre annonce. (*Important.*) Voyez-vous, monsieur, nous avons... euh... pour habitude primordiale... de nous méfier énormément de tout ce qui fait allusion, en quelque sorte, à la solitude. C'est louche, monsieur, la solitude, c'est louche. Sitôt que mon patron...

ANGÉLINE

Enfin, quoi merde, tu nous les casses, avec ton patron. Fais-toi la malle, demi-giclée. Et de quoi t'as l'air, dans ton pot de fleurs?

JACQUES

Angéline, laissez ce monsieur s'expliquer, je vous prie.

NÉRON

Merci, monsieur. Donc, sitôt que mon patron a vu votre annonce, il a dit : c'est louche. Et c'était louche.

ANGÉLINE

Ben, t'as pas lu les autres... Ellessonttoutesaussitartes!...

NÉRON

Donc, monsieur, pour me résumer, mon patron m'a apostillé sur ces lieux avec mission confidentielle de vous surveiller, et manette... euh... machinophone à interructeur pour mettre vos paroles en consigne.

JACQUES

Pour quoi?

NÉRON

Je ne me rappelle plus le mot mais ça me faisait penser à une gare et à des bagages.

JACQUES (*cherche*)

Pour enregistrer.

NÉRON

C'est ça. Mince, vous, vous causez, alors.

ANGÉLINE

Ah, ça, i cause. Faut voir comme.

JACQUES

Et vous avez enregistré tout ce que nous avons dit.

NÉRON

Monsieur, c'est le métier; je m'excuse, mais si vous permettez, j'ai été fier de... heu... de manettophoner quelqu'un qui parle comme vous.

JACQUES (*digne*)

Ça va bien, mon ami.

NÉRON

Et pourtant, tout à l'heure, j'étais plutôt prévenu contre vous.

JACQUÉS

Tout à l'heure?

NÉRON

Oui, tout à l'heure, quand vous m'avez pissé dessus. Aussi sec, monsieur.

JACQUES

Oh! mais c'est exact. Je vous demande pardon, monsieur... Je vous avais pris pour un arbre.

ANGÉLINE

Et alors? Monsieur par-ci, monsieur par-là... qu'est-ce que c'est que ce turbin? Vous gênez pas, cassez m'en, j'ai le dos raide... (*A Néron :*) Tu peux pas te barrer, gueule de perdreau monté en graine, quand tu vois des gens causer en privé?

NÉRON

Toi, va te faire mettre, vieille pute... (*Angéline reste soufflée.*) (*A Jacques :*) Excusez-moi, monsieur. Enfin, je lui ai fermé le bec... on va en profiter...

(*Musique-trio qui s'organise progressivement dans le genre canon.*)

1

NÉRON	ANGÉLINE	JACQUES
Je vais trouver Blairjuste	Va-t'en trouver Blairjuste	Il va trouver Blairjuste
Je vais trouver Blairjuste	Va-t'en trouver Blairjuste	Pour tout lui raconter
Je vais trouver Blairjuste		
Pour tout lui raconter	Pour tout lui raconter	
Lui dire que la femme	C'est moi qui suis la femme	Lui dire que la femme
Lui dire que la femme	C'est moi qui suis la femme	
Lui dire que la femme	Je n' cours aucun danger	Ne court aucun danger
Ne court aucun danger		
Serait plutôt l'homme	C' type-là n'est pas un homme	C'est moi qu'il faut en somme
Serait plutôt l'homme	C' type là n'est pas un homme	
Serait plutôt l'homme		
Qu'il faudrait protéger	Y a rien à protéger	Tenter de protéger

2

ANGÉLINE

Quand on écoute aux portes
Quand on écoute aux portes
Quand on écoute aux portes
On perd toujours son temps

Ce mec est une ordure
Ce mec est une ordure
Ce mec est une ordure
Pour causer proprement

Qu'il rentre dans sa piaule
Qu'il rentre dans sa piaule
Qu'il rentre dans sa piaule

JACQUES

Quand on écoute aux portes
Quand on écoute aux portes

On perd toujours son temps

Je trouve qu'elle est dure
Je trouve qu'elle est dure

Pour cet honnête agent

Qu'il rentre dans sa piaule
Qu'il rentre dans sa piaule
Il risque en attendant

NÉRON

En écoutant aux portes

J'ai dû perdre mon temps

Je lui souhaite une cure

De coups d' pied dans les dents

Je rentre dans ma piaule
Sûr que c'est plus prudent
Ou moi j' rentre dedans

3

JACQUES	NÉRON	ANGÉLINE
Ami je te conseille	Je crois qu'il me conseille	Fumier je te conseille
Ami je te conseille	Je crois qu'il me conseille	
Ami je te conseille	De filer chez ma femme	De filer chez ta femme
De filer chez ta femme		
Et moi, sans plus attendre	Et lui sans plus attendre	Et lui sans plus attendre
Et moi, sans plus attendre	Et lui sans plus attendre	
Et moi, sans plus attendre		
Je m'en irai, madame	Il s'en ira, madame	Je crois qu'il a la rame
Le cœur plein de tristesse	Le cœur plein de tristesse	Le cœur plein de tristesse
Le cœur plein de tristesse	Le cœur plein de tristesse	
Le cœur plein de tristesse		
Et plein de vague à l'âme	Et plein de vague à l'âme	Et plein de vague à l'âme

NÉRON

Eh ben, je m'en vais, monsieur. Bien heureux de vous avoir rencontré. Après vous avoir entendu, je crois que je peux informer monsieur Blairjuste que ses soupçons sont dénudés du fondement.

JACQUES

C'est ça. Dites-lui ça. C'est charmant.

NÉRON

Alors, au revoir, monsieur. Au plaisir. (*A Angéline :*) Et toi, grande sautée, tu devrais taire ta gueule quand t'es avec des gens distingués. (*A Alex :*) Faites excuse, monsieur. Au plaisir. (*Il sort.*)

SCÈNE IV

JACQUES, ANGÉLINE

JACQUES

Au revoir... (*Il est pensif, il glisse sa main dans sa poche. Le soir commence à tomber.*)

ANGÉLINE

Il est pas mal, ce petit-là, au fond... il a l'air énergique. Où c'est qu'il a dit qu'il travaille?

JACQUES

...

ANGÉLINE

Hé, Alexandre, on te spique. Qu'est-ce qu'il a? Dans un nuage, le petit Alex?

JACQUES

Un instant... (*Il va vers le côté par où Néron est sorti et il regarde. Bruit de voiture qui démarre. Il hoche la tête et revient.*) Il a l'air d'être parti pour de vrai.

ANGÉLINE

Alors?

JACQUES (*sort sa main armée*)

Tu voulais une partie de pattes en l'air, hein? ben, lève-les!

ANGÉLINE

Quoi?

JACQUES (*traînant*)

Je parle français... et pas traduit de l'américain. Lève tes pognes. (*Elle obéit.*) Tu te figures que tout ce baratin, c'était pour ta pomme? Tu t'imagines que j'avais pas vu ce mec dans son arbre? Le crétin. Le pâle crétin. Il se rend pas compte que le coup de l'arbre, c'est comme celui de la poubelle. du triporteur, de la machine à laver et de l'obélisque. Ça a traîné partout. C'est standard. Et je lui ai fait pipi dessus exprès... je me suis forcé, j'en avais pas envie... mais je déteste les flics, tu comprends... je voudrais les crever tous... tu veux des durs? mais ça cause pas, les durs; ça attend... et ça cogne... Oh! tiens, regarde (*il montre un point en l'air, elle lève le nez et d'un direct il lui rentre dans la mâchoire*). Là!... très bien... (*Il vérifie.*) Elle dort. (*Ton naturel.*) Enfin. Bon Dieu, ce que je déteste parler argot!... (*Il se penche et fouille son sac.*) Les billets, les voilà. Qu'est-ce que c'est? Des bijoux? Bon. Ça va ensemble. On prend le tout, ce n'est pas si lourd. (*Il enfouit dans sa poche.*) Si ce bon Néron me voyait... (*Elle remue un peu.*) Qu'est-ce que c'est?

ANGÉLINE

Ouye ouye... ma cafetière!...

JACQUES

Bouge pas!... Là... (*Il prend son élan et lui en remet un bon coup au menton, elle retombe.*) Dieu que je déteste ça. Et je me suis fait très mal à la main. (*Il sort un carnet de sa poche.*) Il faut que je note ce que je lui ai dit... tant que je me le rappelle... (*il écrit*) mm... mm... oui... ça va. (*Il ferme son carnet.*) Bon... j'ai vu le sac. Qu'est-ce qu'elle a sur elle... une montre. (*Il la vérifie.*) Allez, je prends tout, ça la dressera, elle parle trop mal... il me faut encore... son adresse; bon, je prends le portefeuille. Je verrai bien qui c'est. Et maintenant, au dodo... (*Il la prend, la roule sous le banc.*) Comment disait-elle? Couche-la dans le muguet!... Viens là, ma cocotte, les feuilles mortes, c'est presque aussi bien... (*Il fredonne.*) Les feuilles mortes se ramassent à la brouette... non... c'est pas ça... je n'ai absolument aucun don pour la musique. Eh bien, dormez bien, sauterelle!... (*Il s'arrête.*) Je note ça... c'est un beau titre... (*Il note.*) C'est bien venu... Bonsoir... (*Il sort.*)

SCÈNE V

ANGÉLINE, *puis* VIRGILE.

Bien qu'il fasse maintenant assez sombre, on voit distinctement bouger l'arbre qui se trouvait de l'autre côté du banc. Il se débrouille pour exhiber deux bras, bascule sa tête en arrière et Virgile s'extirpe de son tronc. C'est le détective envoyé par le neveu d'Angéline pour la surveiller.

VIRGILE

Qu'est-ce que j'ai comme fourmis dans les branches! Je commence à comprendre pourquoi l'autre zèbre se posait la question, hêtre ou pas hêtre...

(*Il avance sur la scène et se met à faire quelques mouvements.*)

Et maintenant, mon dictaphone.

(*Il va vers l'arbre, plonge et en retire une petite valise noire qu'il pose sur le banc.*)

Parfait!... Eh bien, c'était une drôle de séance... mais le père Blairjuste va souffrir. (*Il rit.*) Ah, ces détectives de banlieue... ils ne sont pas à la hauteur...

(*Il s'agenouille et tire à lui Angéline.*)

Allons, venez, marquise... quittez votre lit de feuilles mortes. (*Il fredonne.*) Les feuilles vertes se ramassent à la pioche... (*parlé*) évidemment, il faut faire tomber l'arbre. (*Pendant ce temps, il remonte Angéline et la couche sur le banc, puis commence à la déshabiller pour la ranimer. Friction d'eau de Cologne, tapotis dans les mains, chatouillis sous les pieds. Elle sursaute.*)

ANGÉLINE

Ah, non!... Tout, mais pas mes arpions... allez, grand satyre, rends-moi mes boîtes à nougats. (*Elle se tient le menton.*) Mince! ma mâchoire!...

VIRGILE

Ben, ça y est... ça a l'air d'aller mieux, madame.

ANGÉLINE

Mais qu'est-ce que tu fous là, toi? T'es un satyre? Je croyais qu'il n'y en avait plus!... Ça me ravigote, ça, tiens... T'en as pas profité pour me faire des trucs, pendant que j'étais dans le brouillard?

VIRGILE

Oh! madame! Qu'est-ce que vous croyez donc!...

ANGÉLINE

Je crois rien, moi. J'ai vu un gars tout ce qu'il y avait de pur et chaste me mettre son poing sur la gueule en moins de deux... (*Elle mâchonne.*) Bon Dieu, elle est en capilotade.

VIRGILE

Quoi?

ANGÉLINE

Ma gueule, emplâtre!

VIRGILE (*empressé*)

Une seconde, madame... (*Il tire de sa poche un petit flask, dévisse le bouchon qui fait timbale et lui sert un coup*) buvez ça, ça ira mieux...

ANGÉLINE

Merci (*elle boit et clape bruyamment*) qu'est-ce que c'est que ce pissat de mulet?

VIRGILE (*vexé*)

C'est du cognac.

ANGÉLINE

Du visqui, il me faudrait. Je veux du visqui. Et où est l'autre enfant de maquereau, Alexandre?

VIRGILE

Il s'est trissé, madame.

ANGÉLINE (*le raille*)

Il s'est trissé, madame. Dis donc, t'en es encore au jars des Pieds Nickelés, toi, l'enfant de chœur?

VIRGILE (*vexé*)

Madame, je ne fais pas profession d'enseigner l'argot.

ANGÉLINE

Ben, tu fais bien, ma fleur... et qu'est-ce que t'es? Comment que tu t'appelles? Qu'est-ce que tu fais?

(*Musique.*)

SCÈNE VI

VIRGILE

J'accomplis les missions discrètes
Je suis premier aux rendez-vous
Je suis une force secrète

ANGÉLINE

T'es bien l' seul à savoir c'qu'y a d'ssous

VIRGILE

J'agis toujours dans la coulisse

Et je fais partie du décor
En catimini je me glisse

ANGÉLINE

Attention! marche pas sur mes cors!

VIRGILE

Si certains m'appell' gueul' de vache
Si d'autres me nomment perdreau
Je sais la grandeur de ma tâche

ANGÉLINE

Un poulet qui veut jouer les cabots!

VIRGILE

Je démasque les vils faussaires
Je les prends la main dans le sac
Je rends l'orpheline à sa mère

ANGÉLINE

Mais t'enlèv' la fill' mère à son mac!

VIRGILE

Partout où triomphe le vice
On me voit surgir en vainqueur
Je mets un frein à l'injustice

ANGÉLINE

Tu devrais l' mettre à mon percepteur!

VIRGILE

Je suis le maître du mystère
Je me faufile dans tous les coins
Pour moi tous les murs sont de verre

ANGÉLINE

Ben pour moi tous les verres sont de vin

DUO

V. } Pour moi tous les murs sont de verre
A. } Pour toi tous les murs sont de verre

V. } Mais pour elle tous les verres sont de vin
A. } Mais pour moi tous les verres sont de vin

V. } Mais pour elle tous les verres sont de vin
A. } Mais pour moi tous les verres sont de vin.

(*Fin.*)

ANGÉLINE

Tiens, ça me donne soif, repasse-moi donc un peu de ton lait de singe.

VIRGILE

Oh! il fait quarante-six degrés.

ANGÉLINE

C'est ce que je dis, c'est du lait de singe. (*Il verse, elle boit.*) Pouh!... il y a de quoi aller au refile.

VIRGILE

Au quoi?

ANGÉLINE

Au refile. De quoi dégueuler, si tu préfères. A part ça, si tu m'expliquais un peu ce qui m'est arrivé. Depuis le coup dans les mandibules, j'ai pas de souvenirs. Vas-y, tire...

VIRGILE

Je me présente, madame. Virgile Boudin, attaché à la maison Dubuc, Dubuc et Dubuc fils, détectives.

ANGÉLINE

Ben d'accord, y en avait déjà un tout à l'heure... un gars de chez Nezfin, ou quelque chose comme ça... gentil d'ailleurs... dis donc, c'est pas le bois des Homards que ça devrait s'appeler...

VIRGILE (*méprisant*)

C'était un homme de chez Blairjuste, madame. Des provinciaux.

ANGÉLINE

Ouais... des poulets d'intérêt local... Et d'où tu sors?

VIRGILE

Je suis chargé de veiller sur la sécurité de madame.

ANGÉLINE

Par qui?

VIRGILE

Par une personne de la famille de madame... si vous le permettez, j'expliquerai tout ça à madame pendant le retour car il se fait tard...

ANGÉLINE

Ben, je n'ai plus ni bijoux ni galette et c'est ça que t'appelles veiller sur ma sécurité... et j'ai un de ces mal au crâne! Pire que si j'avais plongé dans la Loire en été!...

VIRGILE

Dans la Loire en été?

ANGÉLINE

Dis, mon minet, t'es un peu faible du cortex, tézique? T'as jamais remarqué qu'y a des cailloux, dans la Loire en été?

VIRGILE (*honteux*)

Je suis parisien, madame.

ANGÉLINE

Pomme, va! tu me la copieras. Allez on met les adjas. Donne ta paluche.

VIRGILE (*perturbé*)

Ma quoi?

ANGÉLINE

Tes crayons! (*Rien.*) Tes torcheculs. (*Il pige pas.*) Oh, ta pogne, quoi. (*Il tend la main, elle se lève en se frottant la mâchoire et le crâne. Il prend son dictaphone.*)

ANGÉLINE

Et ça traite les confrères de poulets d'intérêt local!...

VIRGILE

Moi! Oh!...

ANGÉLINE

Allez... on va rentrer.

(*Musique.*)

VIRGILE

Ma mission est accomplie
Il est temps d'aller dîner
Pour dignement terminer
Une journée bien remplie

ANGÉLINE

Je m'en vais, car j'ai reçu
Un marron sur la caf'tière
Un marron, regret amer
Que j'ai même pas rendu

DUO

Je crois bien qu'il est l'heure
De retourner chez nous
Manger la soupe aux choux
Et l' camembert qui pleure

Si jamais par malheur
On n' sert pas ça du tout
On s'en moque après tout } *bis*
Car on n'est pas bêcheurs }

(*Ils sortent — Angéline bouscule Virgile...*)

ANGÉLINE

Allez, assez de salades. Manie-toi le train, pédéraste... (*A la cantonade.*) Je dois avoir un chauffeur, par là... André! André!...

(*Musique et rideau.*)

ACTE II

Le hall — entrée chez la marquise. Assez grand mauvais goût. Escalier apparent, d'un côté, qui monte à l'étage. Portes à droite et à gauche et partout où ça sert. Un coin avec une table basse et des fauteuils.

SCÈNE PREMIÈRE

Au lever du rideau, bruits dans l'office à droite. Vaisselle remuée, chantonnement. Paraît Clémentine, la nièce de la marquise Angéline de Piripin. Elle porte un plateau à thé garni, passe et monte prestement l'escalier. Voix lointaine d'Angéline : « Clémentine! Tu me l'apportes, ce thé? »

CLÉMENTINE

Voilà, ma tante. C'est prêt.

(*Elle disparaît — Coup de sonnette — Elle réapparaît aussitôt et enlève son petit tablier en se tapotant les cheveux.*)

J'arrive! Une seconde! (*Elle redescend très vite et va ouvrir en grognant.*) Oh, ces lundis sans femme de chambre!... (*Elle ouvre et recule — paraît son oncle le R. P. Brique, en dominicain blanc, le frère d'Angéline.*) Oh! Mon oncle! Quelle chance!

BRIQUE

C'est moi qui ai de la chance de te trouver. (*Il l'embrasse sur les deux joues.*) Et comment vas-tu, jolie nièce?

CLÉMENTINE

Très mal, mon oncle, je ne sais plus où donner de la tête La bonne n'est pas là, le chauffeur non plus, ma tante est dans son lit et je suis seule pour tout faire... alors je ne peux rien faire...

BRIQUE

Ma sœur est au lit? Quoi? Elle est malade?

CLÉMENTINE

Euh... non, mon oncle. Elle a une petite indisposition. Elle a fait une chute... ce n'est rien... elle a très mal à la tête.

BRIQUE

Une chute sur la tête? Oh, ça m'étonne... Angéline a le pied sûr... comme toutes les vieilles biques.

CLÉMENTINE

Elle n'est pas tombée sur la tête, mon oncle; elle a mal à la tête mais c'est sur le menton qu'elle est tombée

BRIQUE

Il faut que j'aille la voir.

CLÉMENTINE

Oh, pas tout de suite, tonton, reste encore un peu avec moi...

BRIQUE

Écoute... c'est une chute bien curieuse... on ne voit ça qu'au cinéma! Sur le menton! Ça m'intéresse, moi... Au cinéma... et encore, jamais en gros plan.

CLÉMENTINE

Ça ne fait rien, mon oncle, il faut me tenir compagnie. J'ai eu une journée épouvantable. Elle m'appelle toutes les cinq minutes. Et elle est d'une humeur de chien parce qu'en plus, elle a perdu tous ses bijoux dans sa chute.

BRIQUE (*qui s'était assis, se relève*)

Tous ses bijoux? Diable! Quelle drôle de chute! Même

Orson Wells n'a jamais été jusque-là dans ses films! Quelle hardiesse dans l'ellipse!

CLÉMENTINE

Oh, rassieds-toi, mon oncle... Je vais te faire du thé.

BRIQUE

Du thé! Pouah! Je ne suis pas malade! Tu n'as pas de gros rouge?

CLÉMENTINE

Mais si, tonton, excuse-moi... Je te l'amène tout de suite... c'est parce que je pensais à ma tante. (*Elle file vers l'office.*)

BRIQUE (*cru*)

Et pas dans un dé à coudre, hein! Mets-moi ça dans un verre à orangeade!

CLÉMENTINE (*de la coulisse*)

Oui, tonton!

BRIQUE (*seul*)

Du thé! Pouah! (*Hausse les épaules, s'assied, tire une énorme pipe de sa poche et se met à la bourrer.*) Une chute sur le menton! Et perdu tous ses bijoux... Bougrement curieux. (*Il allume sa pipe, Clémentine reparaît portant un énorme verre.*) Ah! C'est exactement ce qu'il me fallait... mais Marie m'amène toujours le litre.

CLÉMENTINE

Je ne savais pas, mon oncle... j'irai te le chercher...

BRIQUE

C'est ça... avec quelques rondelles de saucisson, comme d'habitude. Si tu en as. Mais c'est parfait pour l'instant. (*Il boit.*) Et maintenant, parle-moi un peu de toi. Dis-moi tu n'as pas tellement bonne mine.

CLÉMENTINE

Oh!... mon oncle... c'est que je ne suis plus maquillée,

mais je vais très bien. Tu n'as rien remarqué. (*Elle se tourne.*)

BRIQUE

Mais si, tu as changé de coiffure; mais dis-moi, c'est Lisette qui t'a fait ça?

CLÉMENTINE

Mais oui, c'est Lisette. Oh, mon oncle, tu la connais? Tu vas aussi chez Georgel?

BRIQUE

Heu... non... mais j'ai des camarades qui y vont... C'est ravissant... mais c'est une coiffure un peu âgée pour toi...

CLÉMENTINE

Et ma robe? Tu l'aimes?

BRIQUE (*définitif*)

Ah, non, la robe, elle est démodée.

CLÉMENTINE (*déçue*)

Oh! j'en étais si fière.

BRIQUE

C'est exactement la même que celle de Thérèse dans son dernier film.

CLÉMENTINE

Qui ça, Thérèse?

BRIQUE

Mais Dormy, voyons. Thérèse Dormy. Et le film a au moins six mois. Non, elle est démodée. Et puis, en plus, elle jouait un rôle de grand-mère, dans ce film-là, si je me souviens bien.

CLÉMENTINE

Elle n'est pas jolie, alors, ma robe. Oh, moi qui espérais qu'elle te plairait... Tu n'es pas gentil.

BRIQUE

Elle aurait été très bien, euh... pour ta tante.

CLÉMENTINE

Eh bien tout le monde n'est pas de ton avis.

BRIQUE

Tiens... tiens... tu y viens quand même. Explique-moi donc un peu quel est l'intéressant personnage qui n'est pas de mon avis?

CLÉMENTINE (*taquine*)

C'est personne... c'est mon amie Martine. Elle l'aime beaucoup, elle.

BRIQUE

Dis donc, ma chère nièce... tu me prend pour un idiot?

CLÉMENTINE

Mais non, tonton.

BRIQUE

Mais si, Clémentine... et tu as tort.

(*Musique.*)

SCÈNE II

BRIQUE (*chante*)

1

Quand une petite fille
S'habille
A la mode d'autrefois
Et choisit un maquillage
Bien sage
Jusqu'au bout de ses dix doigts
Quand elle a dans son allure
Plus sûre

Un équilibre nouveau
A tout coup l'on peut prédire
Le pire
Elle aime un beau jouvenceau

2

Vite son côté frivole
S'envole
Elle devient tout à coup
La parfaite ménagère
Qui gère
L'intérieur des bons époux
Voyez-la c'est un modèle
Fidèle
Des vertueuses Cendrillon
Qui voltigent et s'affairent
Légères
Du haut en bas des maisoı

3

Mais sitôt finie la noce
La brosse
Va rejoindre le balai
Dans le placard où l'on glisse
Complices
Le cadeau des Dumollet
Et l'on voit réapparaître
En maîtres
Rouge à lèvres et fins nylons
Pour le plaisir du mari
Qui dit
Tu es belle et tu sens bon

CLÉMENTINE

1

Quand un jour on se rend compte
Qu'il compte
Plus que la vie, plus que soi
Troublée, ravie et contente
On tente
De se plier à sa loi
Puisqu'une fille bien sage

S'engage
A vivre avec un époux
Il faut qu'elle s'habitue
Vois-tu
A ses tics et à ses goûts

2

Mais s'ils disent : je t'en prie
Chérie
Habill'toi plus simplement
Ne t'y trompe pas, les hommes
En somme
Nous font un beau compliment
Cela prouve en substance
Qu'ils pensent
Que nous serions mieux sans rien
Qu'ils nous préfèrent plus pures
Nature
Dans la tenue d'Ève au bain

3

Et si l'on remet plus tard
Du fard
Et du rouge comme avant
C'est parce que même un ange
Ça change
Quand on le voit trop souvent
Mais si faute de contact
Intact
Le rouge reste et tient bien
Là, c'est triste car ça prouve
Je trouve
Que l'on s'embrasse un peu moins...

BRIQUE

En somme, fripouille, ce n'est pas que tu ne te maquilles plus, c'est qu'il t'embrasse trop!

CLÉMENTINE

Oh! mais non, tonton! Qu'est-ce que tu inventes!

(*Il fait cul sec.*)

BRIQUE

Mais je n'invente rien... c'est toi qui avoues. Excellent, ce casse-pattes... un peu court, mais excellent.

CLÉMENTINE

Je vais t'en chercher d'autre, tonton.

(*Elle file.*)

BRIQUE (*criant*)

Eh! n'oublie pas le saucisson! (*Resté seul, il tire sur sa bouffarde, se lève et fait les cent pas en polka en fredonnant l'air précédent. Sonnerie à la porte. Il retire sa bouffarde et s'arrête — à Clémentine :*) Ne bouge pas, j'y vais. Et coupe les rondelles très minces!...

(*Il remet sa pipe et va ouvrir. Entre Jacques dégrimé mais reconnaissable, avec un petit sac.*)

SCÈNE III

BRIQUE — JACQUES.

JACQUES
(*entre, affairé et, sans regarder*)

Merci, mon enfant.

BRIQUE (*referme posément, puis*)

D'habitude, on me dit plutôt « mon père ».

JACQUES
(*se retourne, le voit et, affolé*)

Comment! Oh! Un prêtre! Un prêtre ici! Déjà! Mon père! Ayez pitié de moi! Elle est morte! J'ai tapé plus fort que je ne pensais! Ça y est! Je l'ai tuée! Je suis un criminel! Mais ce n'était pas pour la voler, mon père! Je vous le jure! Je n'ai pas pris les bijoux. Ils sont intacts! Ils sont là, tenez! Mon père!... Comprenez-moi!...

BRIQUE (*excédé*)

Ah! Assez! (*Maté, Alex se tait.*) Qu'est-ce que c'est que ce mélo?

JACQUES (*éclate en sanglots*)

Mon père, je le sais bien, j'ai tué Madame de Piripin... mais ce n'était qu'une plaisanterie, je vous le promets! Je suis un honnête homme (*il sanglote*), c'était une expérience, mon père... Une expérience nécessaire, dont dépendait mon avenir... Et voilà que cette noble femme tombe victime de mon expérience!...

BRIQUE

Mais enfin, de qui parlez-vous?

JACQUES

Angéline! La brutale et séduisante Angéline! Fauchée à la fleur de l'âge d'un crochet à la mâchoire. (*Il regarde son poing.*) Je ne me croyais pas si fort. (*Il dit ces derniers mots avec une certaine complaisance.*)

BRIQUE

Mais mon pauvre ami, Angéline, c'est ma sœur, et elle se porte comme un charme... comme Johnny Weissmuller lui-même. Il est vrai qu'elle est dans son lit à la suite d'une chute sur le menton; chute bizarre, certes... mais il lui en faut plus pour l'abattre...

JACQUES

Mais... vous n'êtes pas là pour lui administrer les derniers sacrements.

BRIQUE (*se marre*)

Mais elle me les foutrait à la figure! Elle s'en fiche éperdument, mon cher enfant. Elle est anarchiste. Moi aussi, d'ailleurs, mais pas dans le même ordre d'idées.

JACQUES

Mon père... excusez-moi... mais je croyais vraiment... en vous voyant, je me suis attendu au pire.

BRIQUE

Et cessez de m'appeler votre père, j'ai horreur de ça... Appelez-moi Brique, comme tout le monde. Si je suis entré chez les Dominicains, ce n'est tout de même pas pour avoir plus d'enfants que tous les autres, bon sang!

JACQUES

Excusez-moi, mon pè... Brique.

BRIQUE

Asseyez-vous là. (*Jacques s'assied.*) Et maintenant, de l'ordre et de la discipline. Comme au couvent. Qui êtes-vous?

Je m'appelle... Alexandre de Marillac.

BRIQUE (*positif*)

Certainement pas.

JACQUES (*peu sûr*)

Mais si. (*Il regarde Brique.*) Heu... Non, je m'appelle Tom Collins.

BRIQUE (*sceptique*)

Sans blague? Ce n'est pas mieux. (*Il se rend compte.*) Quoi? Mais c'est vrai... J'ai vu votre photo... pour une réclame de Perrier... C'est vous Tom Collins? Le romancier américain qui a écrit *Une Salope de moins*?

JACQUES (*piteux*)

Ben, oui. C'est moi Tom Collins.

BRIQUE

Ah, ça alors... mais c'est pas votre vrai nom!

(*Bruit de verres — apparaît Clémentine, qui porte le litre de rouge et une assiette de saucisson — elle entre et aperçoit Jacques.*)

SCÈNE IV

BRIQUE, JACQUES, CLÉMENTINE

CLÉMENTINE

Jacques! Quelle chance! (*Elle lâche le plateau que Brique attrape au vol et se jette dans les bras de Jacques.*) Mon chéri! Vous vous êtes enfin décidé... vous qui êtes si timide! Enfin vous venez demander ma main!...

JACQUES (*embarrassé*)

Heu... mais... dame...

CLÉMENTINE (*trés excitée*)

Et ma tante qui est au lit, quelle malchance! Elle est très malade!... elle a fait une chute (*elle rit*) enfin c'est ce qu'elle dit... moi je suis sûre qu'elle s'est fait démolir le portrait par un de ses gigolos! (*Haut-le-corps de Jacques.*)

BRIQUE (*tonne*)

Clémentine! Silence! (*Elle s'arrête.*) Assieds-toi là! Vous (*à Jacques*) ici! De l'ordre... et de la discipline, nom d'une pipe! C'est moi qui commande ici!

CLÉMENTINE

Oui, tonton. (*Elle s'assied, puis se relève et court embrasser Jacques.*) Oh! mon Jacquot! (*Elle revient s'asseoir.*) Ce que je suis contente, ce que je suis contente!

JACQUES (*se lève à demi, empoisonné*)

Mon p... euh, mon vieux Brique, je ne peux pas rester. je m'excuse... il faut que je rentre pour... mm... pour faire cuire mes nouilles (*il se lève*) alors...

BRIQUE (*exaspéré*)

Oh, par tous les saints de la terre! Non, du ciel, je veux dire... il y a des moments où je donnerais cher pour avoir des pantalons et vous mettre mon pied quelque part! (*A Jacques.*) Assis, je vous dis! (*Jacques s'assied — le silence règne.*) Enfin! (*A Jacques.*) Et maintenant, mon bonhomme, je voudrais bien savoir comment vous vous appelez, Alexandre, Tom, ou Jacques...

JACQUES (*empoisonné, très vite*)

Jacques Martin. (*Il supplie Brique, du geste, de ne pas insister sur son nom, et reprend, maladroitement désinvolte :*) Justement, chère Clémentine, comme je passais dans ce quartier, j'ai pensé qu'il serait civil de venir vous présenter mes compliments...

CLÉMENTINE

Mon Jacquot... vous avez osé venir, enfin... vous vous êtes décidé à parler à ma tante... Je vais lui dire qu'elle fasse l'impossible pour se lever... (*Brique paraît découragé — sonnette. Il se lève et il y va, furieux, décidé à tout casser. Entre Carlos, suivi de Virgile qui porte une tonne de lettres. Il dit bonjour à Brique et passe juste au moment où Jacques dit :*)

SCÈNE V

BRIQUE, JACQUES, CLÉMENTINE, CARLOS, VIRGILE.

JACQUES

A votre tante? Quelle tante?

CARLOS

Pardon? (*Il en est visiblement comme trente-six.*)

JACQUES

Quoi? Bonjour, monsieur. (*A Clémentine.*) Quelle tante, Clémentine?

CLÉMENTINE

Mais la marquise, Jacques... (*Très mondaine.*) Jacquot, c'est mon cousin germain, Carlos Francisco... Carlos, c'est Jacques, mon fiancé.

JACQUES

Très heureux. (*Ils se serrent la main.*)

CARLOS

Ravi!... Vous m'avez fait peur. (*Il rit.*) Je croyais que vous veniez pour André!

JACQUES

André?

CARLOS

Oui, le chauffeur d'Angéline. (*Jacques frémit — Carlos à Virgile :*) Posez ça là, vous. (*A Jacques.*) C'est mon courrier de l'après-midi.

JACQUES (*complètement abruti*)

Ah?

CARLOS (*vexé*)

Oui. Une partie de mon courrier. (*Il précise :*) Je chante... (*Aucune réaction.*) Suivez-moi, Virgile. (*Il va pour monter.*)

BRIQUE (*revenu pendant ce temps*)

C'est ça, laisse-nous, on discute de choses sérieuses; et toi, Clémentine, monte chez ta tante, voilà un quart d'heure qu'elle t'appelle. (*Ils se taisent et on entend glapir Angéline.*)

VOIX D'ANGÉLINE

Alors, grande sautée! Tu radines! Remue-toi le popotin!

CLÉMENTINE (*crie*)

Oui, ma tante! J'arrive! (*Elle monte à la suite de Carlos.*)

SCÈNE VI

BRIQUE, JACQUES.

BRIQUE (*brisé*)

Ouf! (*Il se laisse tomber dans son fauteuil.*) Un coup de rouquin me fera du bien. (*Il prend la bouteille.*)

JACQUES (*mal à l'aise*)

Vous n'avez plus besoin de moi, mon p... Brique?

BRIQUE

Silence. Restez là. Un coup de rouquin? Une rondelle? (*Il le sert et se sert.*) Bon. Revenons au fait. Qui êtes-vous?

JACQUES

Je m'appelle Jacques Martin.

BRIQUE

Alors, Tom Collins?

JACQUES

C'est moi.

BRIQUE

Vous vous payez ma tête?

JACQUES

Non. Je m'appelle Jacques Martin. J'écris des romans policiers que je signe Tom Collins et que je vis sous le nom d'Alexandre de Marillac.

BRIQUE

Que vous vivez?

JACQUES

Je suis bien forcé, je n'ai absolument *aucune* imagination.

BRIQUE

Eh bien, je suis peut-être idiot, mais tout ça me paraît aussi clair que Citizen Kane, et ce n'est pas peu dire.

JACQUES

J'aurais dû vous dire d'abord que je suis agrégé de philosophie.

BRIQUE

Bien sûr... moi aussi; ça n'a jamais empêché personne de faire son chemin...

JACQUES

Oui, mais moi, j'exerce; je suis professeur pratiquant; alors, pour gagner ma vie, j'écris des romans noirs; et pour qu'ils se vendent, je les signe Tom Collins; mais il y a un ennui : je vous l'ai dit, je n'ai pas la moindre trace d'imagination. J'ai essayé d'inventer, mais je ne peux pas. Les intrigues, ça ne s'invente pas; oh, les scènes de meurtre, les viols, tous ces trucs-là, c'est facile, c'est du courant; mais la trame... ah, pour la trame, c'est autre chose. Je ne suis pas doué, qu'est-ce que vous voulez; alors je les vis, je vis mes romans. Je veux dire qu'à mes moments perdus, je suis voleur, faussaire, carambouilleur, trafiquant, perceur de murailles, homme politique...

BRIQUE

Hé là! Arrêtez-vous, tout le monde va y passer!

JACQUES

Ce n'est pas de ma faute. Je ne peux pas construire tout ça à froid sur le papier; je ne peux pas élaborer une intrigue si je n'y participe pas; qu'est-ce que vous voulez, c'est pas du tout dans mes cordes; moi, ce qui m'intéresse, c'est mon traité de morale.

BRIQUE

Vous écrivez un traité de morale?

JACQUES

Ça fait cinq ans que j'y travaille. (*Un temps.*) Je viens de finir la préface.

BRIQUE

Vous écrivez un traité de morale et vous venez me dire que vous avez vécu l'intrigue de votre roman *Une Salope de moins*. Ben mon colon... c'est un peu dur à encaisser...

JACQUES

J'ai transposé le meurtre final... dans la réalité, je lui ai simplement cassé une chaise sur la tête... vous comprenez, c'était une amie...

BRIQUE

Vous me rassurez!

JACQUES

Oh, je n'ai encore tué personne... Je vous dis, les meurtres, c'est facile à décrire.

BRIQUE

En somme, quand vous avez assommé ma sœur, c'était pour votre prochain roman?

JACQUES

Ben, oui... votre sœur? Quelle sœur?

BRIQUE

Mais bon Dieu, je vous l'ai dit... Angéline, ma sœur, la marquise de Piripin, la tante de Clémentine et de Carlos!..

JACQUES

Angéline! (*Il se lève affolé.*) Mais je n'avais pas compris! La tante de Clémentine! Oh, ma mère!... euh, mon père, pardon... mais alors, je suis fichu! Mon beau rêve doré s'écroule!

BRIQUE

Ah, assez de ce style à la noix, hein... Je vous aime encore mieux en Tom Collins!...

JACQUES

Mais j'ai horreur de Tom Collins! Je ne peux supporter que les balles phrases bien balancées... tenez... entre nous... J'ai une passion pour Paul Claudel...

BRIQUE

Ben mon vieux, il est encore plus mal vu que moi au Vatican!...

JACQUES

Oh!... Clémentine! sa nièce! mais alors... tout est fini... je suis fichu.

(*Un signe désespéré.*)

JACQUES

J'ai tout foutu par terre
Il ne me reste rien
J'ai voulu trop bien faire
Et j'ai fait le crétin

J'aimais ma Clémentine
Et je ne savais pas
Qu'en boxant Angéline
Je faisais un faux pas

Je voulais dans la vie
Transposer le roman
Car la philosophie
Ne nourrit pas ses gens

Je nouais des intrigues
Je tendais des filets
Pour vaincre la fatigue
D'un piteux cervelet

Je mettais des annonces
Dans le *Chasseur français*
J'attendais les réponses
Comme un fauve aux abois

Mais j'ai pris à ma ligne
Par un coup du destin
Une femme très digne
Malgré des airs... mutins

Cette femme est la tante
De celle que je veux
Et chose révoltante
Je lui ai fait des bleus

Pour corser la bagarre
J'ai volé ses diamants

Sans un seul des égards
Que l'on a pour son rang

J'ai voulu trop bien faire
Et j'ai fait le crétin
J'ai tout foutu par terre
Il ne me reste rien

BRIQUE

Mais non, mon vieux, mais non... ça va s'arranger...

JACQUES

Et je suis honnête, Brique, pourtant; je suis foncièrement honnête... J'ai toujours tout restitué... et vous voyez, aujourd'hui, je ramenais les bijoux... mais maintenant... comment faire pour les rendre... au moins que Clémentine ne sache rien, qu'elle garde de moi une bonne impression... Oh, Brique, tirez-moi de là!... Vous devez être bien avec le bon Dieu...

BRIQUE

C'est-à-dire... enfin j'espère, quoi... mais vous savez, en général, il n'intervient guère directement. (*Jacques s'effondre.*) Allons... Allons... on va bien trouver une solution, tout de même... Tenez, buvons toujours un coup... (*Redescend Carlos.*)

SCÈNE VII

BRIQUE, JACQUES, CARLOS.

CARLOS

Tonton, vous n'auriez pas vu André?

BRIQUE

Ce n'est pas son jour de sortie?

CARLOS

Oh, je ne sais plus, mais je suis inquiet quand il n'est pas là. (*A Jacques* :) André, c'est le chauffeur.

JACQUES

Vous me l'avez déjà dit.

CARLOS

Ah oui? Oh, j'adore parler de lui... il est tellement charmant. (*Regarde Jacques.*) Un peu comme vous. (*Jacques se redresse gêné.*) Mais mieux... nettement mieux...

JACQUES (*soulagé*)

J'en suis ravi.

CARLOS

Il a les pieds sales. J'adore les gens qui ont les pieds sales. C'est exquis. On peut leur laver...

BRIQUE

C'est un délicieux passe-temps.

CARLOS

Mais qu'est-ce qu'il y a? C'est fou, ce que vous avez l'air constipé, tous les deux!

BRIQUE

Avec toi, c'est plus sûr. Oh! mon Dieu! Qu'est-ce que tu me fais dire!... Oh! il faudra que je me confesse, pour celle-là.

CARLOS

Comme vous êtes bêcheur, tonton!... enfin, si vous voyez André, dites-lui que le courrier est là. (*Il le désigne.*) Et qu'il le monte chez lui directement pour y répondre; et dites-lui de passer me voir... merci!...

BRIQUE

Entendu.

CARLOS

Au revoir, cher monsieur... (*Il remonte.*)

JACQUES

Monsieur...

SCÈNE VIII

BRIQUE, JACQUES.

BRIQUE

Enfin, est-ce qu'ils vont nous laisser cinq minutes de tranquillité?

JACQUES

Qu'est-ce que c'est que cette folle?

BRIQUE

C'est mon neveu, Carlos Francisco.

JACQUES

Ça me dit quelque chose...

BRIQUE

Oh, vous avez dû entendre son nom à la radio; c'est lui qui chante dans *Sortilège de Madrid*, l'opérette des Variétés-Mondaines. Il a un succès fou. Il reçoit cinq cents lettres d'admiratrices par jour, mais il n'aime que les chauffeurs ou les plombiers. D'ailleurs c'est le chauffeur de ma sœur qui répond à tout son courrier.

JACQUES

C'est pas drôle, dites donc, d'être chauffeur ici...

BRIQUE

Justement, c'est tout un drame. André ne veut rien savoir pour passer entièrement au service de Carlos qui est amoureux de lui; il veut rester à celui de ma sœur.

JACQUES

Il répond quand même au courrier...

BRIQUE

Ça coûte assez cher à Carlos... et André gagne sur les deux tableaux, parce qu'il en profite pour s'envoyer toutes les admiratrices.

JACQUES

Bon Dieu, que c'est compliqué! Jamais je n'aurais pu inventer un truc comme ça... vous permettez que je prenne note? (*Il boit.*)

BRIQUE

Je vous en prie!... (*Jacques note.*) Mais soyez gentil, hein, changez les noms. Un coup de rouge?

JACQUES

Oui, merci. (*Il s'échauffe un peu sous l'effet du vin.*) N'ayez pas peur! Je changerai tout!... Mais au fait, pourquoi Carlos habite-t-il ici, si on le brime?

BRIQUE

Ben c'est ça le plus drôle... C'est l'appartement d'Angéline mais c'est Carlos qui fait marcher toute la maison (*il boit*), il gagne un pognon terrible.

JACQUES

Ah, là, là, je me demande pourquoi tout le monde ne chante pas... (*Il boit.*)

BRIQUE

Mais n'importe qui peut chanter... vous n'avez qu'à écouter la radio, vous verrez. Moi, personnellement, je préfère le cinéma... (*Il rit bêtement.*)

JACQUES

Moi aussi. (*Il rit aussi bêtement, ils sont un peu noirs.*) J'ai horreur des chanteurs de charme... et puis je chante faux... (*Il boit.*)

BRIQUE (*tape sur la cuisse de Jacques*)

Tenez, au fond, vous me plaisez.

JACQUES (*va pour verser, mais le litre est vide*)

Bon sort de bon sort! Mais on a tout bu!

JACQUES

C'est la vraie solution...

(*Musique-marche.*)

1

JACQUES

Rien ne tient compagnie
Comme un verre de pinard

BRIQUE

Ça vous fait voir la vie
En beau rose épinard

JACQUES

Un verre de rouge en pogne
On se sent tout joyeux

DUO

C'est le jus divin qui colore
La trogne la trogne
C'est le jus divin qui colore
La trogne de tous les gens heureux

2

BRIQUE

Quand on attrape la grippe
Faut être très prudent

JACQUES (*le menace du doigt*)

Ne plus fumer la pipe
Et se laver rarement

BRIQUE

Mais surtout qu'on prépare
Un litre de vin chaud

DUO

Il faut l'avaler tout de suite
Dare dare, dare dare,
Il faut l'avaler tout de suite
Avant d'aller se mettre au dodo

3

JACQUES

Si votre femme vous trompe
Ne prenez pas ça mal

BRIQUE

Sortez-la à coups d' pompe
Et tout ira-z-au poil

JACQUES

Et pour faire table rase
De votre grand chagrin

DUO

Deux bonne bouteilles de gros qui tache
Ça gaze, ça gaze
Deux bonnes bouteilles de gros qui tache
Bientôt il n'y paraîtra plus rien

4

BRIQUE

Lorsqu'un malheur vous frappe
Amis n'hésitez pas

JACQUES

Mettez dessus la nappe
Dix litres de jaja

BRIQUE

Cherchez dans leurs demeures
Deux ou trois vieux copains

DUO

Et videz en chœur sans plus attendre
Sur l'heure sur l'heure
Et videz en chœur sans plus attendre
Les dix pleines bouteilles de gros rouquin.

5

JACQUES

Amis prêtez l'oreille
A ce propos sérieux

BRIQUE

C'est le jus de la treille
Qui vous fait vivre vieux

JACQUES

Qu'on boive à tout âge
Ça réussit toujours

DUO

Oui, vive la France où l'on peut rendre
Hommage, hommage
Oui, vive la France où l'on peut rendre
Hommage au bon vin et à l'amour.

(*Brique et Jacques s'esclaffent et se congratulent avec de grandes claques dans le dos.*)

JACQUES

Ben, avec vous, au moins, je m'entends bien... J'ai connu des prêtres tellement embêtants.

BRIQUE

C'est des pisse-froid... ils font une très mauvaise propagande; quoi, ça n'a rien de triste, la religion...

JACQUES

Ben vous savez, ça dépend. (*On entend la sonnette.*) Oh! l'élévation!...

BRIQUE

Allons, allons... n'en profitez pas pour blasphémer... (*Il va ouvrir.*) Oh, ce n'est rien, c'est André.

SCÈNE IX

BRIQUE, JACQUES, ANDRÉ (*en tenue de chauffeur*).

BRIQUE

Bonjour, André.

ANDRÉ

Bonjour, monsieur Brique. (*Il aperçoit Jacques.*) Mais qu'est-ce que ça veut dire!

JACQUES

André Lardon!

ANDRÉ

Jacques Martin!

BRIQUE (*à Jacques*)

Alors vous allez me dire que vous êtes chauffeur aussi, maintenant...

JACQUES

Mais pas du tout! C'est lui qui est un copain de Normale Supérieure! Le major de ma promotion!...

BRIQUE

Alors, André, vous aussi vous êtes agrégé de philosophie?

ANDRÉ

Ben bien sûr, comme tout le monde...

BRIQUE

Ben on est trois... ça s'arrose...

ANDRÉ

Comment, vous en êtes également?

BRIQUE

Oui... mais n'employez pas d'expressions de ce genre dans cette maison...

ANDRÉ

Excusez-moi, je ne savais pas, m'sieur Brique. (*Il s'incline.*) Vénérable archicube!

BRIQUE

Ah, pas d'argot de Khâgne, en tout cas, c'est insupportable.

ANDRÉ

Oh, je n'y tiens pas non plus...

JACQUES

Mais comment es-tu chauffeur?

ANDRÉ

Tu veux dire qu'il faut au moins l'agrégation de philo pour être chauffeur, de nos jours; surtout quand on répond au courrier d'un chanteur de charme...

JACQUES

C'est vrai! (*Avec envie.*) Tu dois en avoir, des documents vécus!...

ANDRÉ

Ah, penses-tu... elles ont toutes la même idée.

JACQUES

Laquelle?

ANDRÉ

Coucher avec lui. Ça, elles tombent mal; mais heureusement je suis là, et ce n'est pas perdu pour tout le monde. Si tu voyais ces collections de photos que je reçois...

JACQUES

Mais comment fais-tu?

ANDRÉ

Moi? Je leur dis que c'est moi. Il est d'accord, tu sais... c'est bon pour sa publicité. (*Il se lèche les lèvres.*) Je lui soigne, sa publicité...

BRIQUE

Faudra me montrer ces photos, André. J'ai des tas d'amis que ça peut intéresser. Des producteurs de films. Je suis sûr que Braunberger serait content de les voir.

ANDRÉ

C'est surtout commode, parce que ça permet de choisir en connaissance de cause. On a quelquefois des déceptions, remarque, parce qu'elles sont roublardes; il y en a qui envoient la photo d'une copine plus jolie qu'elles; mais comme la copine écrit aussi, on s'en aperçoit tout de suite parce que les deux photos sont les mêmes.

JACQUES

Mais comment choisis-tu, à ce moment-là?

ANDRÉ

Oh, c'est très simple; on couche avec celle dont la photo est intacte.

JACQUES

Je ne comprends pas.

ANDRÉ

Mais si; l'autre photo est toujours abîmée parce que celle qui essaye de te rouler a coupé ou gommé la dédicace de sa copine...

JACQUES

Tu permets que je note ça. (*Il sort fébrilement son carnet.*) C'est incroyable! Quelle perversité!...

ANDRÉ

Quelquefois, les deux sont bien...

BRIQUE

On dessèche, dites donc, les garçons... je vais un autre kil.

SCÈNE X

JACQUES, ANDRÉ.

JACQUES

Ça, c'est formidable. Mais dis donc, tu n'es pas devenu chauffeur tout de suite?

ANDRÉ

Ah, bien sûr... on ne monte pas en grade du premier coup... j'ai d'abord été dans le cirage; représentant, je veux dire; cent étages par jour; rien à bouffer. Et puis j'ai bricolé çà et là, et j'ai eu le coup de veine : laveur de voitures dans un garage de Montmartre, où j'ai rencontré des types épatants : tous les anciens de la bande à Dédé le Dingue. Tu te rends compte! des types fumants!

JACQUES

Ah, quelle chance tu as! C'est inouï!...

ANDRÉ

Ensuite, quand j'ai été copain avec eux, ils m'ont pris comme chauffeur, je savais à peine conduire... mais ils avaient confiance en moi parce que je parlais bien et que je comprenais les trucs en latin chez les pharmaciens. Mon vieux, avec eux, j'ai appris à conduire, je te jure!... Les onze et les quinze, je les connais un peu...

(*Brique revient et leur verse à boire.*)

JACQUES

Et moi qui me ronge à chercher des histoires vécues! Tu pourrais me raconter tout ça?

ANDRÉ

Les coups de la bande à Dédé le Dingue? Mais j'étais dans tous...

JACQUES

Ah, vas-y, vas-y, je note...

(*Musique.*)

ANDRÉ

Dans la bande à Dédé l' Dingue
Pour c' qu'est du boulot
Les aveugles et les sourdingues
Faisaient pas d' vieux os

Moi comme j'avais d' la culture
On m' confiait toujours
Le soin d' conduire la voiture
Et d' semer les bourres

On a fait des coups terribles
Sans une goutte de sang
Car Dédé lisait la Bible
Et n' tuait qu' les } agents
méchants

Dédé l' Dingue était un type
Tout c' qu'y a d' régulier
Quand il a cassé sa pipe
On a tous chialé

On piquait les feuill' d'un mètre
Par paquets d' cinq mille
On s'est jamais faits r'connaître
On était habiles

Mais un jour Dédé s'amène
Avec Isabelle
I trouvait qu 'sa vieill' Germaine
Était pus trop belle

Et le v' là qu'avec cette fille
Comme un petit morpion
Tout just' s'i jouait pas aux billes
Nous, on l' trouvait... bête

I lui mangeait dans la pogne
Mais Germaine un jour
S'en va le donner aux cognes
Par chagrin d'amour

I l'ont pris dans sa p'tite chambre
Il a pas bougé

Et i s'est laissé descendre
Sans croire au danger

Et tous les mecs de la bande
Sont rentrés chez eux
I trouvaient la terr' trop grande
Quand y avait pas l' vieux

Jamais on r' trouv' ra en France
Un gars comme Dédé
Un vrai as de la finance
Un p'tit peu blindé

On a tous lâché l' travail
On avait plus l' goût
Et maint'nant on fait l' détail
Pour joind' les deux bouts

V'là l'hitoire de Dédé l' Dingue
Un type épatant
Qu'est mort en faisant la bringue
L' jour de ses vingt ans.

JACQUES

Ah, dis donc! Quel type... mais tu ne m'as rien dit... Je veux des détails... Écoute (*il boit*) ça m'a donné soif... écoute... je te propose quelque chose. Tu viens t'installer chez moi.

ANDRÉ

T'es fou?

JACQUES

Non. On va ramasser de l'argent par valises.

ANDRÉ

Ah, non, mon petit vieux... moi, j'ai lâché le turbin... Je suis sérieux, maintenant...

JACQUES

Mais tu es idiot... écoute. (*Confidentiel.*) C'est moi Tom Collins.

ANDRÉ (*neutre*)

Tom Collins. Tom Collins. (*Il s'éclaire.*) Tom Collins? *Une Salope de moins?*

JACQUES

C'est ça... tu y es...

ANDRÉ (*à Brique*)

C'est pas vrai, hein?

BRIQUE

Il dit que si.

ANDRÉ

Tom Collins! (*Jacques se rengorge.*) *Une Salope de moins.* Ben, mon vieux... ce que c'est mauvais.

JACQUES (*vexé*)

Naturellement... c'est exprès... Je le sais très bien.

ANDRÉ

Ça serait arrangeable, remarque... mais dans le détail, ça sent tellement le chiqué...

JACQUES

Oui, bien sûr... mais enfin, tu sais, ça a du succès... (*Il boit.*)

BRIQUE

Mais buvez donc un coup avec nous, André, et finissez de nous dire comment vous êtes arrivé ici...

ANDRÉ

Volontiers. On demandait un chauffeur qui parlait argot. Comme j'avais traduit des romans pour Duhamel avant de passer chez le Dingue, j'ai pas eu de mal. Et puis à Normale on parle un jars terrible, vous le savez comme moi. Bref, maintenant, en plus, je fais le courrier du neveu. Je lui refuse tout, il paye, ça rapporte bien et il m'adore.

JACQUES

Il t'adore parce que tu as les pieds sales. Il l'a dit devant moi.

ANDRÉ (*vexé*)

Il a dit ça? le fumier!...

BRIQUE

Allons, allons, pas de potins... buvez donc... (*André boit, Jacques aussi.*)

JACQUES

Un pousse-au-crime de première!...

ANDRÉ

Pousse-au-crime! Pauvre gravat... Tiens, enfile-toi ça dans le moule à glaviots au lieu d'essayer de causer majuscule... (*Il lui reverse à boire.*)

JACQUES

Oh! ça c'est terrible! Je peux noter?

ANDRÉ

Note, note...

BRIQUE

Le fait est que vous en foutez plein les châsses à mézigue...

ANDRÉ

Oh, me poussez pas, vous pigeriez plus... vous savez, moi je l'invente... je suis un poète... (*Clémentine redescend.*)

SCÈNE XI

CLÉMENTINE

Me revoilà... j'ai été longue, mais ma tante m'a retenue tout ce temps-là; d'abord il a fallu que je lui mette plein de pommade sur le menton et elle criait toutes les fois que je la touchais...

BRIQUE (*l'interrompt*)

Et elle va bien, autrement?...

CLÉMENTINE

Mais oui, mais elle est surtout furieuse pour ses bijoux.. elle est très vexée.

JACQUES (*ivre, l'interrompt*)

Clémentine... hi hi... C'est moi...

BRIQUE (*le coupe, André ne comprend pas, Brique lui fait signe de faire taire Jacques*)

Assez, vous... (*A Clémentine.*) Continue, mon chou... tu nous disais...

CLÉMENTINE

Eh bien, au moment où j'allais redescendre vous retrouver, il est entré Carlos avec ce type-là, qui était là tout à l'heure... C'est un détective... il paraît qu'il écoutait quand on a volé les bijoux à ma tante... caché dans un arbre à gauche du banc...

JACQUES

A droite du banc. (*André l'arrête.*)

CLÉMENTINE (*sans comprendre*)

Non, à gauche... il paraît aussi qu'il y en avait un second à droite, et qu'il est parti avant le vol parce que le voleur l'avait repéré et se méfiait... J'ai tout entendu... tout est enregistré sur un dictaphone... et avec le dictaphone, ce détective de Carlos est sûr qu'on va retrouver les bijoux...

JACQUES

Ben... ça ne sera pas difficile... (*Il échappe à André et prend le sac...*) Tenez... montrez-les-lui... c'est moi qui les avais pris... mais je ne suis pas un voleur... les voilà...

CLÉMENTINE

Jacques... (*A Brique.*) Mais qu'est-ce qu'il a?... il est ivre? Tonton...

BRIQUE

Ah! Quelle cloche!

ANDRÉ

Je ne comprends rien du tout... mais je crois qu'il a un peu tapé dans le kil... (*Il essaye d'arrêter Jacques.*)

JACQUES

Mais laisse-moi, toi... (*A Clémentine* :) J'ai mis une annonce... j'ai été au rendez-vous... j'ai pris les bijoux... les voilà... (*Il lui tend le sac.*)

CLÉMENTINE

Tonton... (*Elle se jette contre Brique.*) Qu'est-ce que c'est?... mais il est fou!...

BRIQUE

Mais non, coco, tout ça va s'expliquer... ce n'est pas grave...

CLÉMENTINE

Mais c'est lui, qui a dit tout ça... tous ces mots que j'ai entendus?...

JACQUES

Je suis obligé (*hoquet*) de faire certaines expériences pour ma documentation...

BRIQUE

Clémentine, mon chou, ce n'est qu'un malentendu... Jacques est un romancier de grand talent... mais il n'a aucune imagination; il est obligé de vivre ses romans pour les raconter; mais c'est un pur artifice...

CLÉMENTINE (*trépigne*)

Mais il n'est pas romancier, il est professeur de philosophie... il n'a jamais écrit un livre et vous vous payez ma tête avec votre documentation, et si c'est un voleur, je ne l'aime plus...

JACQUES

Clémentine... Je restitue toujours...

CLÉMENTINE

Et puis, c'est pas vrai, tout ça... vous me faites marcher avec vos expériences.

ANDRÉ

Mais on vous dit que c'est lui, Tom Collins.

CLÉMENTINE

Eh bien quoi, Tom Collins (*elle comprend*) oh! (*Jacques prend une pose complaisante.*) Alors vous avez fait tout ce que vous racontez dans *Une Salope de moins.* Oh! Quel cochon! Quel satyre! (*Elle se jette sur lui et le gifle.*) Je ne vous reverrai jamais plus...

JACQUES (*se tient la joue*)

L'intrigue, Clémentine, seulement l'intrigue!... Rien n'est vrai... c'est transposé...

CLÉMENTINE

Ça ne s'invente pas, des trucs comme ça. Et vous n'étiez pas forcé de choisir cette histoire-là. Vous n'avez pas d'excuse! (*Elle se met soudain à pleurer.*) Il y avait d'autres sujets.

JACQUES

Mais... euh... il faut vivre... gagner sa vie... j'avais besoin d'argent...

CLÉMENTINE (*sanglote*)

Eh bien vous n'aviez qu'à écrire un manuel sur l'éducation des bébés... ça se vend très bien aussi... et j'aurais pas demandé mieux que de vous aider à les faire, les bébés et à les élever; mais c'est fini... vous êtes un menteur et un dégoûtant... et jamais je ne vous reverrai... oh, tonton... (*Elle s'enfuit.*)

SCÈNE XII

ANDRÉ, BRIQUE, JACQUES.

ANDRÉ

Aussi, une jeune fille n'a pas besoin de lire ces trucs-là...

BRIQUE (*à Jacques*)

Ben vous avez fait du propre, espèce de pâle crétin. Où est-ce que vous vous croyez? au cinéma? (*On entend la marquise appeler.*)

ANGÉLINE

Clémentine... Clémentine... (*Elle apparaît en haut de l'escalier, la tête dans un gros pansement, en déshabillé très cochon, un cigare à la main. André essaye de dissimuler les bijoux en se mettant devant.*)

ANDRÉ (*à Jacques*)

J'y pige rien, mais j'ai idée que tu vas causer du dégât.

SCÈNE XIII

ANDRÉ, BRIQUE, JACQUES, ANGÉLINE.

ANGÉLINE

Qu'est-ce que c'est que ce cirque? Vous faites du foin comme un car de flics... (*Elle descend.*) Qu'est-ce que vous foutez ici, André? (*A Brique.*) Et toi, grande cloche, t'aurais pas pu monter me dire bonjour? Comment vont tes belles amies? Viviane? et Odette? En forme? (*Elle regarde Jacques qui boit pour oublier.*) Et qui c'est cézigue? J'ai l'impression de connaître sa gueule... attends que je colle mes hublots sur mon tasse-broques... (*Elle prend un face-à-main.*) Mais sacré nom, où est-ce que je vous ai vu, jeune homme ?...

BRIQUE

Tu ne l'as jamais vu... c'est Jacques Martin... agrégé de philosophie...

ANGÉLINE

Ah... un intellectuel...

JACQUES

Bonjour, cocotte. (*Il titube.*)

ANGÉLINE

Il a une voix que je connais, ce zèbre... (*Elle cherche et ne trouve pas.*)

BRIQUE

Monsieur Martin, figure-toi, est amoureux de ta nièce.

ANGÉLINE

Hé ben, qu'il s'arrange avec elle, heu... moi, j'ai assez de soucis comme ça. Tu as su ce qui m'était arrivé? J'ai encaissé une de ces châtaignes mastardes sur le coin de la mangeoire, papa, comme jamais dans ma vie. Et l'enfant de pute m'a embarqué ma verroterie. Heureusement, Carlos me faisait pister depuis un mois par une ombre discrète, et ce mec a tout enregistré. (*Elle rigole.*) Tu te rends compte! Carlos qui me fait surveiller parce qu'il est jaloux d'André!... Il a peur que je ne me farcisse le phénomène! Ah! il est jaloux! Ah! Ah! Ah!

ANDRÉ (*vexé*)

Ben qu'est-ce que ça a de si marrant?

ANGÉLINE

Écoute, mon colibri, mets-toi devant une parleuse et fais-toi de l'œil et tu verras si ça ne te donne pas envie de foutre le camp.

ANDRÉ

Pour une fois votre neveu a plus de goût que vous.

ANGÉLINE

Mais dis donc, je ne te retiens pas, hein? Pour en revenir au truc, ça va être facile de repérer le gars avec l'enregistrement à Carlos; et ce gars-là, c'est moi qui vais m'en occuper moi-même; i va danser, papa, tu peux me croire, le bon à nib (*Jacques titube abondamment.*) Mais pourquoi as-tu fait boire ce jouvenceau? Assieds-le, Brique... Et qu'est-ce que fait Clémentine? Qu'elle s'occupe un peu de lui, quoi...

BRIQUE

Heu... elle va revenir... (*Dans un mouvement brusque Jacques attrape les bijoux.*)

JACQUES

Eh, vous là, la marquise... vous pourriez me remercier, au moins... je vous ai apporté vos bijoux... en toute honnêteté. Je n'avais pas l'intention de les garder... mais très honnête...

ANGÉLINE

Quoi? (*elle lui arrache le sac*) mais parole d'homme... c'est bien mes bricoles! (*Un temps, elle le regarde.*) Mais oui, c'est lui... sans sa perruque! La vache! La petite vache! Mais je savais bien que je le connaissais... Ah, tu m'as allongé, salope... attends... (*Jacques recouvre l'équilibre.*)

JACQUES

Chère marquise... c'était pour ma docu... (*Elle le sonne d'un grand coup de poing à l'estomac — il fait ouf et tombe. André le récupère dans un fauteuil — Angéline souffle sur son poing.*)

ANGÉLINE

Ah, mince! Je me sens d'un mieux!... T'as vu, Brique? En plein dans la boîte à ragoût... comme dans Chandler...

ANDRÉ

Ah, zut, un type saoul, c'est trop facile, quoi... vous charriez...

ANGÉLINE

De quoi je me mêle, hein?

ANDRÉ

On ne cogne pas sur un gars plein...

ANGÉLINE

Enfin quoi! Monsieur se grime en cinquantenaire pour me faire du rentre-dedans, i me bonit des salades à se faire fumer le citron, i me cogne dans la bouille, i m'embarque mes ornements du culte et i faudrait que je prenne des gants pour lui retourner les brandillons? Ah, alors, merde!...

ANDRÉ

Allez, passe la main, vieille saucisse.

ANGÉLINE

Bon. Eh bien toi, je t'ai assez vu aussi. D'ailleurs tu mollis, tu t'encroûtes. Escorte-moi ce malheureux jusqu'à son page et estime-toi heureux que je ne le fasse pas enchrister. Tu peux te tirer par la même occase. J'ai assez esgourdé ton pastis. Mets-les! Pronto! Schnell! Schnell!

ANDRÉ

Bon, je m'en vais, mais vous me faites mal aux seins. *(Il soulève Jacques.)* Viens, pauvre cruche.

JACQUES (*bégaie*)

Je suis honnête... j'ai rien fait... (*Il se récroule.*)

ANGÉLINE (*les pousse dehors*)

Allez, du balai, sauterelle, remue tes fumerons. (*Elle revient et se laisse choir dans un fauteuil.*) Ouf! Ça fait une bonne chose de réglée.

SCÈNE XIV

ANGÉLINE (*à Brique*)

Passe-moi mes joujoux, papa.

BRIQUE (*les ramasse et les lui tend*)

Vingt dieux, quelle histoire!...

ANGÉLINE

C'est fini, t'occupe. (*Elle remet sa montre.*)

BRIQUE

Tu as une façon d'arranger les choses... C'est fini pour toi, oui, mais pour Clémentine quel gâchis! Espèce d'abrutie, aussi, tu as bien besoin de mettre des annonces dans le *Chasseur français...*

ANGÉLINE

J'en mets aussi dans *Ici Paris.*

BRIQUE

Ça te fait une belle jambe.

ANGÉLINE

Ça me regarde. Je suis majeure et vaccinée.

BRIQUE

Tu n'es pas toute seule. En ce moment, Clémentine est dans sa chambre en train de pleurer.

ANGÉLINE

Clémentine! Ben mon vieux, ne te figure pas une seconde que je vais lui laisser épouser ce minable, ce faux dur, cette demi-portion! Ah, ça, j'en veux pas! Clémentine épousera quelqu'un de bien!

BRIQUE

Il est bien, si elle l'aime.

ANGÉLINE

Ah! ça! pas question. D'ailleurs je l'ai trouvé pas mal quand il avait sa perruque... il faisait distingué... mais sans elle, il est tartouze comme c'est pas permis. Clémentine est mineure, et je ne la laisserai pas faire cette blague-là... Et puis tu vois qu'il se mette à lui cogner dessus, pour sa documentation?...

BRIQUE

Je ne crois pas qu'il le ferait.

ANGÉLINE

Il me l'a bien fait, à moi?

BRIQUE

Toi... heu... ça se comprend mieux... ça a dû le soulager. (*Carlos apparaît en haut.*)

ANGÉLINE

Fous-moi la paix avec ce type infect; donne-moi un coup de rouge; c'est réglé, liquidé; mais en attendant, il faut que je trouve un nouveau chauffeur. (*Carlos est descendu.*)

SCÈNE XV

BRIQUE, ANGÉLINE, CARLOS.

CARLOS

Tu parles de chauffeur, ma tante?

ANGÉLINE

Ne m'appelle pas ma tante, je déteste ça, j'ai l'impression d'être un homme.

CARLOS

Mais tu disais quelque chose à propos d'un nouveau chauffeur? Qu'est-ce qui se passe? André n'est pas parti?

BRIQUE

Ta tante vient de le flanquer à la porte.

CARLOS

Angéline? Tu as flanqué André dehors? Ce n'est pas vrai?

ANGÉLINE

Mais non, ce n'est pas vrai, ma choute. André est parti avec un ami de ton oncle.

CARLOS (*à Brique*)

Le type qui était là? Oh! Je savais bien qu'il venait pour le chauffeur! Ah, le salaud! Et toi (*à Brique*), tu essayais de me faire croire qu'il venait pour cette idiote de Clémentine...

BRIQUE

Oh! Ma tête. (*Il s'effondre, accablé.*)

ANGÉLINE

Mais ne t'inquiète pas, Carlos, je sais où en trouver un autre.

CARLOS

Je ne veux qu'André, na!

ANGÉLINE

Oh! eh bien débrouille-toi avec son ami.

CARLOS

Oh! Mais non! C'est toi qui l'as flanqué dehors... c'est toi qui le ramèneras! Sinon!...

ANGÉLINE

Sinon quoi?...

CARLOS

Je ne paye plus rien ici.

ANGÉLINE

Eh ben alors, moi je te fous dehors. N'oublie pas que l'appartement est à mon nom, cher ange.

CARLOS

Oh! Mais je suis indigné! Je suis furieux! Je vais faire une colère! Oh! Tata! Il faut que tu fasses revenir André!

ANGÉLINE

Dis papa, tu t'tripotes?

(*Elle se lève et s'assied sur la table — Carlos va de long en large, fumant.*)

BRIQUE

Oh, Angéline, ce que tu es fatigante avec ton argot!...

ANGÉLINE

Fatigante? Non, mais quoi, quand tu causes dans ton charabia d'église, est-ce que je te cherche des poux dans la soutane?

BRIQUE

Ça ne m'arrive pas souvent, et c'est moins pénible pour les autres...

CARLOS (*renchérit pour passer sa colère*)

Ah, oui alors, tu crois que c'est drôle d'être obligé de vivre avec une harpie comme toi!... et puis ça fait tellement prétentieux cet argot...

ANGÉLINE

Parce que toi, t'es follement simple, hein? T'aimes mieux la Comédie-Française?

(*Musique style Mozart — elle déclame très Comédie-Française.*)

Vous voudriez sans doute, ami, que je causasse
Comme au temps des grands rois et des princes du sang
Vous aimeriez aussi que je vous conjuguasse
D'un ton sophistiqué les subjonctifs présents?
Vous vous trouveriez bien que je fisse la belle
Que je prisse grand soin d'un langage châtié
Vous seriez enchanté que je parusse telle
Qu'on l'était à la cour ou chez Berthe au grand pied

(*Musique s'arrête... silence subit, puis :*)

Non, mais vous êtes dingues?

(*Coups de cymbale — Carlos et Brique, bercés, sursautent.*)

Vous me conseilleriez d'inviter des puristes
De tenir un salon littéraire et mondain
De lâcher mes cigares et d'avoir des artistes
A mes vendredis soirs où viendrait le gratin?
Il serait opportun, certes, que je pondisse
Un roman plein d'esprit et qui fût très profond
Dont on commenterait les subtils artifices
A grand renfort de mots de dix mètres de long

(*Musique se perd, perlée et évanescente, puis :*)

En ben, j' vous dis crotte

(*Crotte est ponctué d'un coup violent de timbale.*)

(*parlé*) et puis je causerai comme ça me plaît et vous n'avez rien à y voir. Pour le quart d'heure, je vais de ce pas donner un coup de fil à un charmant garçon, qui ne demandera qu'à être chauffeur... (*elle se lève*) mais rien ne t'empêche de reprendre André à ton service personnel... moi il m'use... il est trop distingué... (*elle s'en va*) à tout à l'heure, Brique... (*Elle sort.*)

SCÈNE XVI

BRIQUE, CARLOS.

CARLOS

Oh! Le chameau! Oh! La méchante! Oh! La vilaine! La rosse! Oh! mais j'en aurai le cœur net. (*A Brique, d'un ton de défi :*) On va bien voir si c'est toi qui dis la vérité et si c'est pourma cousine qu'il est venu... (*Il appelle :*) Clémentine! Clémentine! Titine! Tinette!

BRIQUE

Ah, je t'en prie, n'appelle pas ma nièce comme ça...

CARLOS

C'est pas ton affaire... ça fait vingt-cinq ans qu'elle m'appelle Cacar, alors je ne vois pas pourquoi je me gênerais... Clémentine! Clémentine!...

BRIQUE

Tu vas t'abîmer la voix. Tiens, bois un peu de rouge, ça va te calmer. Assieds-toi. Et discutons posément. Au fait, j'ai vu ton dernier film. Il est drôlement mauvais.

CARLOS (*s'assied, vexé*)

Vous aussi, vous êtes mesquin, mon oncle. Vous m'en voulez parce que j'ai du talent. (*Brique retourne le litre qui est vide.*)

BRIQUE

Pas du tout. Tiens, va chercher une autre bouteille, celle-ci est vide. (*Carlos se relève et va prendre un litre dans le placard à droite.*) Tiens, il y en avait donc là?

CARLOS

C'est la réserve de ma tante. Il est bien meilleur. Ça lui apprendra.

BRIQUE

Parfait. Allez, ton verre.

CARLOS

J'aime pas beaucoup le rouge. J'aime que l'Alexandra, parce que ça sent les pieds.

BRIQUE (*découragé*)

Tu es maboul, mon pauvre Carlos.

CARLOS

Je suis très simple. Et je prends la vie comme elle vient.

BRIQUE

Non, tu la retournes d'abord. (*Il s'aperçoit de son énormité.*) Oh! Écoute, qu'est-ce que tu me fais dire! Bois.

CARLOS

Je te dis que j'aime pas ça.

BRIQUE

Si tu ne bois pas, je fais passer un éreintement de ton film dans *La Vie Catholique*. Ça tire à 600 000.

CARLOS

Oh! Quel chantage!...

(*Apparaît Clémentine.*)

SCÈNE XVII

BRIQUE, CARLOS, CLÉMENTINE.

(*Clémentine paraît avec son manteau et une petite valise, prête à partir.*)

BRIQUE

Eh bien, eh bien! Où vas-tu, toi?

CLÉMENTINE

Je m'en vais.

CARLOS

Clémentine, avant tout, est-ce que tu aimes ce type qui était là tout à l'heure et qui est venu séduire André?

CLÉMENTINE

Je le déteste, et toi aussi, et je vous déteste tous, et je m'en vais.

CARLOS

Et lui, est-ce qu'il t'aime?

Non, c'est un sale type, un faussaire et un menteur et je ne veux pas qu'on m'en parle.

CARLOS

Ah! Je savais bien qu'il était venu pour André et pas pour toi. D'ailleurs tu es bien trop moche... tu n'as même pas l'air d'un garçon. (*A Brique :*) Vous voyez, mon oncle, vous vouliez tous me rouler... mais j'aurai le dernier mot.

(*Il appelle.*) Virgile! Virgile! (*A Brique.*) Je vais vous le ramener, moi, André, et on verra qui commande ici. (*Clémentine essaie de partir, Brique la retient — Virgile apparaît.*)

CARLOS

Virgile, prenez votre équipement de recherche et partons. J'ai besoin de retrouver un très joli garçon, blond, mince... Venez... on va leur montrer un peu...

VIRGILE

Tout de suite, monsieur Francisco. Je suis prêt. Les recherches, c'est mon affaire.

CARLOS

Venez, on prendra ma voiture. Suivez-moi.

VIRGILE

Au revoir, 'Sieurs Dames.

SCÈNE XVIII

BRIQUE, CLÉMENTINE.

(*Clémentine ramasse sa valise et va vers la porte.*)

BRIQUE

Reste là, toi.

CLÉMENTINE (*s'arrête et reste le dos tourné*)

Pour quoi faire?

BRIQUE

Pour m'écouter.

CLÉMENTINE

Je n'ai pas envie.

BRIQUE

Moi, j'ai envie de parler. (*Il l'attrape par les poignets et la regarde.*) Allons, bébé, pourquoi veux-tu faire une bêtise?

CLÉMENTINE

Ce n'est pas une bêtise.

BRIQUE

Tu sais bien que si. Tu t'es butée par orgueil.

CLÉMENTINE (*avec simplicité*)

Non, mon oncle, pas seulement par orgueil. J'en ai assez de ma tante, j'en ai assez de Carlos et de ses chauffeurs. Je ne suis pas arriérée, je ne suis pas pimbêche, mais tout ça me dégoûte. C'est moche.

BRIQUE

Ce n'est pas très joli, évidemment...

CLÉMENTINE

J'aime mieux m'en aller. Et vivre toute seule.

BRIQUE

Où ça?

CLÉMENTINE

Oh, même à l'hôtel.

BRIQUE

Tu as de l'argent?

CLÉMENTINE

Pas beaucoup, mais je travaillerai.

BRIQUE

C'est difficile, tu sais...

CLÉMENTINE

Je sais. Mais je n'ai pas peur.

BRIQUE

Carlos n'est pas réellement méchant. Il se force à l'être. Il est complètement désaxé; mais tu sais bien ce qui lui manque, en réalité : c'est sa mère...

CLÉMENTINE (*bas*)

La mienne me manque aussi, tonton.

BRIQUE (*l'embrasse*)

Mon pauvre chou. Écoute, tout va s'arranger.

CLÉMENTINE

Oh, je ne crois pas, tonton.

BRIQUE

Mais tu aimes Jacques, enfin!...

CLÉMENTINE

Je ne sais même plus, tonton. Ça a été trop brutal. Je ne suis pas bégueule, je t'assure, mais je suis toute secouée, toute surprise et j'ai du mal. Je les trouve tous moches, mesquins, petits, sales. Ils s'acceptent tous comme ils sont. Moi, je ne peux pas, et je ne veux pas. On peut faire autrement.

BRIQUE

Il faut être indulgent. Nous avons tous des côtés acceptables. Des bons côtés, même.

CLÉMENTINE

Je sais bien, tonton, mais je ne vois que les mauvais côtés, en ce moment.

(*Un silence.*)

BRIQUE

Qu'est-ce que tu veux faire?

CLÉMENTINE

Je vais reprendre la danse.

BRIQUE

Ce n'est guère mieux.

CLÉMENTINE

Ce n'est pas mal. Quand on ne sait rien faire, c'est déjà une chance de pouvoir gagner sa vie comme ça. Et les gens ne sont pas si méchants.

BRIQUE

Tu viens de dire le contraire.

CLÉMENTINE

Oui, tonton, mais je veux dire que si on veut rester honnête avec soi-même, on peut l'être dans n'importe quel lieu, même si on est mannequin dans une revue. Ça ne sera jamais pire qu'ici.

BRIQUE

Ça sera plus dur.

CLÉMENTINE

Si c'est trop difficile, je verrai bien.

(*Musique.*)

1

Tous les jours je reçois dans mon lit
Le soleil du matin qui s' lève
Je respire et je vis sans soucis
Je dors sans rêves
Je suis libre et je peux si je veux
Aux musées préférer la danse
Raccourcir ou garder mes cheveux
J' suis en vacances
Je pourrais continuer
Je vivrais sans effort
A quoi bon rejeter
Sa famille
Malgré tout c'est charmant
Quand on a dix-huit ans
De se sentir encore
Petite fille
Mais pourtant j'aime mieux m'en aller

Essayer de gagner ma vie
Maintenant je voudrais travailler
Car je m'ennuie

2

J'aimerais m'endormir tous les soirs
Fatiguée d'une journée vivante
Des soucis des chagrins des espoirs
Une vie mouvante
J'apprendrais un métier avec joie
Je serais une élève sage
Toute seule je lav'rais mes bas d' soie
J' f'rais mon ménage
J'aurais un canari
Qui chant'rait tout le jour
Et j'aurais des jacinthes
Sur ma fenêtre
J'aurais les toits d' Paris
Les moineaux dans la cour
Je vivrais sans contrainte
Et sans maître

Et la nuit toute seule dans mon lit
Sous les yeux de la lune ronde
Toute seule, en marge du monde
J'attendrais que mon cœur soit guéri
Pour reprendre ma place dans la ronde
J'attendrais que mon cœur soit guéri

BRIQUE

Hum. Hum. Écoute. Je dois te dire quelque chose que je n'ai pas avoué à ma sœur. Heu... tu sais que je vois pas mal de gens de cinéma. Hum. Moi, j'adore ça, le cinéma. Mais mon supérieur n'a pas tout à fait les mêmes idées... alors... en somme, pour me distraire, n'est-ce pas, il m'a proposé d'aller en Afrique trois mois... au Sahara... ce n'est pas une disgrâce, non non... il paraît que c'est beau... non, c'est un repos qu'il m'offre... aimablement. Alors... heu... comme j'ai un petit appartement ici, à Paris, une chambre chez une vieille dame très bien... tu peux t'y installer si tu veux...

CLÉMENTINE

Merci, tonton. (*Elle l'embrasse, émue.*) Tu es un chic

type... Pourquoi est-ce que tu joues toujours les soudards...

BRIQUE (*jovialité un peu forcée*)

Veux-tu avoir un peu plus de respect pour ton oncle, petit chameau! Et puis, dis donc, je connais bien Guérin, qui dirige le Lido... un petit coup de piston ne te fera pas de mal... et c'est un type très correct.

CLÉMENTINE

Oh! Tonton! Tu es merveilleux. (*Elle est ravie.*) Je vais travailler, être chez moi... chez toi, je veux dire! Partons tout de suite!...

BRIQUE

Dis-moi... Un dernier mot! Tu ne dis rien à personne, pour le Sahara! On va déjà assez se foutre de moi à la *Revue Cinématographique!...*

CLÉMENTINE

C'est promis, tonton... (*Ils vont sortir, on sonne.*)

XIX

BRIQUE, CLÉMENTINE, *entre* NÉRON.

NÉRON

Bonjour, messieurs dame... Oh, pardon! Bonjour, mon père. (*Il regarde Brique, intrigué.*) Excusez, je suis bien chez Madame la marquise de Piripin? On vient de me téléphoner pour une place de chauffeur, il y a dix minutes...

BRIQUE

C'est ça, mon ami... Montez, la marquise vous attend.
(*Clémentine l'appelle du fond.*)

CLÉMENTINE

Viens, tonton. (*Néron retient Brique.*)

NÉRON

Mon père... excusez... une seconde, s'il vous plaît... est-ce que je pourrais avoir une orthographe?

BRIQUE

Un autographe (*flatté*) mais certainement, mon ami... tout de suite... Vous avez de quoi écrire...

NÉRON

Voilà, m'sieur... voilà... (*Il sort stylo, bloc, les tend, Brique signe.*) Merci! (*Brique sort, Néron le regarde extasié.*) Dire que je ne l'avais pas reconnu! Merci, m'sieur Pierre Fresnay!...

RIDEAU

ACTE III

Le troisième acte se passe rue Cognacq-Jay, derrière le décor du studio de Télé-Paris — S'arranger pour qu'on voie un coin avec une porte et quelques sièges, un peu comme la petite salle d'attente de Télé-Paris — Un mélange.

SCÈNE PREMIÈRE

D'un côté entre un machiniste portant un rouleau de fil électrique; au même instant, de l'autre, entre un deuxième machiniste avec un projecteur — Ils traversent et se croisent.

PREMIER MACHINISTE

Salut!

DEUXIÈME MACHINISTE

Salut!

(Ils continuent chacun leur route pour disparaître chacun de son côté. La musique d'introduction continue, puis, en sens inverse, arrivent les deux mêmes, mais cette fois le premier porte un projecteur identique à celui que portait le second et le second un rouleau de fil identique à celui du premier. Cette fois, lorsqu'ils se croisent, temps d'arrêt et regard soupçonneux. Reprennent leur route

en se jetant à nouveau un regard soupçonneux; à ce moment, le premier machiniste se heurte sans la voir à la mère du petit chef d'orchestre prodige, Ricardò Benzine qui entre l'air inquiet. C'est une volumineuse Magnani.)

MADAME BENZINE

Bon giorno, mon ami. Est-ce qué lé segnor Chabannes, il est là?

PREMIER MACHINISTE

Voyez Angelvin. (*Il passe.*)

MADAME BENZINE

Angelvino? Ma, qu'est qué c'est que ça. (*Revient le second machiniste, avec une chaise.*)

MADAME BENZINE

Mon ami, per favor, avez-vous vou lé signor Féral?

DEUXIÈME MACHINISTE

Voyez Angelvin. (*Il va pour sortir, mais elle le retient.*)

MADAME BENZINE

Ma, escousez, ma qué jé souis à Télé Parigi?

DEUXIÈME MACHINISTE (*regarde autour de lui*)

Je crois... oui, ça doit être Télé-Paris... mais c'est quand même plus sûr de demander à Angelvin... (*Il passe.*)

MADAME BENZINE

Oh! madonna! (*Réapparaît le premier machiniste, portant une chaise identique.*) Hep! per favor! S'il vous plaît!

PREMIER MACHINISTE

Ouais? (*Il s'arrête.*)

MADAME BENZINE

Le signor Angelvino?

PREMIER MACHINISTE

Oh, il est pas encore là, vous savez, ça ne passe qu'à une heure.

MADAME BENZINE

Ma, qué, pourquoi tou m'as dit Voyez Angelvino?

PREMIER MACHINISTE

Parce que c'est lui qui s'occupe de tout.

MADAME BENZINE

Ma s'il n'est pas là, qui est qui s'en occupe?

PREMIER MACHINISTE

Personne. (*Il passe — réapparaît le deuxième machiniste armé d'un balai.*)

MADAME BENZINE

Dites, mon ami.

DEUXIÈME MACHINISTE

Ouais? (*Il s'arrête.*)

MADAME BENZINE

Où est-ce qué jé pourrais joindre le signor Angelvin?

DEUXIÈME MACHINISTE (*regarde sa montre*)

A table.

MADAME BENZINE

Mais où ça?

DEUXIÈME MACHINISTE

Ben il n'a pas dit où il déjeune aujourd'hui.

MADAME BENZINE

Ma, enfin, c'est insensé, je suis la mère du petit prodige qu'il passe aujourd'hui à Télé-Paris, le célèbre illustrissime Ricardo Benzine... et on mé fait attendre comme... comme...

DEUXIÈME MACHINISTE

Comme toutes les mères de tous les petits prodiges qui arrivent une heure trop tôt tous les jours que le bon Dieu fait... (*Il passe.*) Au r'voir, m'dame Benzine.

MADAME BENZINE

Oh! C'est trop fort! Où est Angelvin? Je vais me plaindre! Je vais faire oun escandale! Oun escandalissimo. Ricardo! Ricardo, caro mio.

SCÈNE II

MADAME, BENZINE, RICARDO.

RICARDO

Voilà, m'man. (*Apparaît un genre Piéral poussant une petite voiture d'enfant pliante. Il porte un costume de roi de Rome en velours noir brodé de petites roses et une chemisette blanche en satin avec un gros nœud au cou.*) Qu'est-ce qu'y a, m'man?

MADAME BENZINE (*très calme et sans accent*)

Je crois que nous sommes un peu en avance, Ricardo. Il n'y a encore personne.

RICARDO

C'est ta faute, maman. Et à cause de toi, je n'ai pas pu finir mes spaghetti et je vais être en colère tout l'après-midi et je vais perdre toutes mes parties de marelle... (*Il tape du pied.*)

MADAME BENZINE

Pardonne-moi, mon trésor adoré, mon chéri, ma perle fine...

RICARDO

La barba!

MADAME BENZINE

Pendant que nous attendons, tu pourrais peut-être étudier ce que tu vas improviser au micro... viens que je t'arrange ta cravate, mon poussin.

RICARDO

Mais je le sais par cœur, ce que je vais leur dire... tu penses, depuis huit ans que je suis chef d'orchestre prodige...

MADAME BENZINE

Ne te fâche pas, ma colombe... Tiens... voilà qu'on vient. C'est peut-être Angelvin.

SCÈNE III

Entre Clémentine. Elle a un long manteau boutonné qui cache son costume très déshabillé de danseuse. Elle est un peu timide et hésitante.

CLÉMENTINE

Bonjour, madame... escusez-moi, c'est bien ici pour Télé-Paris?

MADAME BENZINE

Oui, mais vous êtes ridiculement en avance... ça ne passe qu'à une heure.

CLÉMENTINE

C'est que... Monsieur Angelvin m'avait dit d'arriver en avance.

MADAME BENZINE

Asseyez-vous donc, mademoiselle...

CLÉMENTINE

Merci, madame. (*Ricardo lâche sa poussette et vient s'asseoir sur ses genoux.*)

RICARDO

Fais-moi une bise, madame.

CLÉMENTINE

Mais... (*Elle est gênée.*) C'est votre fils, madame?

MADAME BENZINE

Oui, mademoiselle; c'est mon petit Ricardo... faites-lui une bise, sinon il va se mettre à pleurer; c'est un enfant tellement sensible!...

RICARDO (*trépigne*)

Une bise! Une bise! Je veux une bise!

(*Clémentine l'embrasse. Il l'embrasse à son tour voluptueusement dans le cou, avec un grognement de satisfaction — elle pousse un cri et se lève.*)

CLÉMENTINE

Oh!... (*Elle rit gênée.*) Excusez-moi... ça m'a chatouillée.

MADAME BENZINE

Vous n'aimez pas les enfants, sans doute, mademoiselle... (*Un peu pincée.*) A votre âge, évidemment, on pense plus à la toilette...

(*Musique.*)

CLÉMENTINE

Non ne croyez pas
Qu'à mon âge
Qu'à mon âge
Un joli visage
Des robes légères
Suffisent à faire
Le bonheur

Car un amoureux
Même, même
Si je l'aime
Un bel amoureux
Que l'on rend heureux

C'est vraiment trop peu
Pour me plaire

Je veux des berceaux
De dentelle
De dentelle
Où des poupées frêles
Des bébés de miel
Ouvrant leurs yeux ronds
Me sourient

A quoi bon vieillir
Si l'on reste
Si l'on reste
Toujours égoïste
Ne pensant jamais
Qu'à son seul plaisir
Sans rien d'autre

Non, ne croyez pas
Qu'à mon âge
Qu'à mon âge
Un joli visage
Des robes légères
Suffisent à faire
Le bonheur...

RICARDO (*ravi*)

Je suis un enfant
Plein de charme
Plein de charme
Et j'ose vous dire
Que tous vos désirs
Si vous m'adoptiez
S'raient comblés

(*Ricardo se précipite sur Clémentine et veut l'embrasser en grimpant sur une chaise mais elle s'écarte.*)

RICARDO

Maman! Je veux qu'elle m'embrasse!...

MADAME BENZINE

Mais, mon petit, tu vois bien qu'elle n'aime pas les enfants... Mademoiselle, vous devriez avoir honte de votre dureté; passe encore avec un enfant ordinaire, mais mon Ricardo est si sensible.

CLÉMENTINE

Il s'appelle Ricardo. (*Elle est gênée.*) Il est très mignon, madame...

MADAME BENZINE

Ricardo Benzine, mademoiselle. (*Elle appuie.*)

RICARDO

Maman! Elle veut me vexer! Elle veut me vexer.

CLÉMENTINE (*inquiète, ne comprend pas*)

Mais... euh... enfin, madame... il est charmant... je vous félicite... je ne vois pas... euh...

MADAME BENZINE (*glaciale*)

Viens, mon ange. Tu as tort aussi, ma colombe, d'être aussi familier avec des étrangers (*rire sarcastique*) qui n'ont pas l'air très au courant de l'actualité artistique parisienne...

CLÉMENTINE

Je m'excuse... je ne travaille que depuis peu de temps... vous passez aussi à Télé-Paris, madame, sans doute...

MADAME BENZINE

Enfin, madame! (*Hors d'elle.*) Vous n'allez pas me dire que vous n'avez jamais entendu parler du grandissime Ricardo Benzine, le plus jeune chef d'orchestre prodige de la Scala de Milano!

RICARDO (*hurle*)

Maman! Ça y est! Ça y est!

MADAME BENZINE

Ricardo! Tu n'a pas fait pipi dans ta culotte, au moins!

RICARDO

Non! Mais je vais faire. Parce qu'elle m'a vexé, ça y est!

CLÉMENTINE

Pardonnez-moi... madame... je ne pouvais pas croire qu'il soit si jeune...

MADAME BENZINE (*un peu calmée*)

Vous êtes excusable, après tout... Ricardo se produit dans des sphères tellement intellectuelles... (*Apparaît le premier machiniste, une bouteille à la main.*)

SCÈNE IV

PREMIER MACHINISTE

Pardon, m'sieur dames, vous n'auriez pas vu Angelvin? (*Il bat en retraite, effaré devant l'air de Madame Benzine.*)

MADAME BENZINE

Ah, c'est trop fort! Dio mio Madonna!...

RICARDO (*trépigne*)

C'est insupportable! Maman! Je vais avoir ma crise de nerfs! Maman!...

MADAME BENZINE

Viens, viens, mon chéri, viens avec ta maman, on va se promener...

RICARDO

Je veux jouer à la marelle! Je veux jouer à la marelle!

(*Elle l'entraîne.*)

SCÈNE V

CLÉMENTINE

Oh! Quel soulagement! (*Elle se lève et s'étire, regarde si personne ne vient, commence à déboutonner son manteau, le pose sur une chaise.*) Il faut que je répète... j'ai un trac!... (*Elle commence à essayer des pas de danse en chantonnant la musique, puis l'orchestre se met à l'accompagner — une petite habanera.*)

Il y avait une fille
Qui vivait jadis
Dans un vieux château

Avec ses quatorze frères
Qu'étaient très sévères
Et qu'étaient pas beaux

Elle s'occupait du ménage
Du raccommodage
Et des gros travaux
Elle faisait la cuisine
Qu'ils aimaient très fine
Et de bons gâteaux
Mais ses frères protestaient
Disant qu'elle n'était
Bonne qu'à tout gâter
Ils la battaient nuit et jour
Ils tapaient comme des sourds
Chacun prenait son tour
Car ils avaient besoin de s'entraîner après l' dîner

Mais à l'âge de seize ans
Trouvant qu'il était temps
D'arrêter l'entraînement
Elle leur fit un repas
A la mort-aux-rats
Et ça finit là...

(*Comme elle chante et danse les derniers vers, apparaît le père Brique, à pas de loup — il la regarde et parle.*)

SCÈNE VI

CLÉMENTINE, BRIQUE.

BRIQUE

Pas mal, pas mal.

CLÉMENTINE

Oh! (*Elle court à son manteau.*) Oh! Tonton! C'est toi. (*Elle se jette dans ses bras.*)

BRIQUE

Mon chou! Ne t'arrête pas! Continue...

CLÉMENTINE

Oh! Tonton! Tu m'as fait tellement peur!...

BRIQUE

Tellement peur? A une future vedette?...

CLÉMENTINE

Tonton, quand es-tu revenu? Je te croyais encore là-bas.

BRIQUE

Mais... euh... avant-hier.

CLÉMENTINE

Et je te vois seulement aujourd'hui... Oh!...

BRIQUE

Moi, je t'ai vue hier... là où tu danses.

CLÉMENTINE

Oh, je t'aurais repéré; c'est sûrement pas vrai!...

BRIQUE

Mon petit lapin, tout de même... quand je vais au Lido, je me mets en civil...

CLÉMENTINE

Mais tu aurais pu venir dans la journée, chez moi... chez toi, c'est-à-dire... depuis deux jours, écoute, Tonton...

BRIQUE

Ah, c'est que j'ai fait des tas de choses (*il est évasif*) j'avais des gens à voir, tu sais, depuis le temps que j'étais au Sahara... (*Il cherche visiblement à détourner la conversation.*) C'est affreux, le Sahara... C'est plein de sable, exactement comme on dit dans les livres... et quand ce n'est pas du sable, c'est des cailloux... Pouah...

CLÉMENTINE

Tonton, tu me caches quelque chose... (*Soudain éclairée, elle se jette à son cou.*) Tonton!... Je suis sûre que c'est grâce à toi que je passe aujourd'hui à la télévision!...

BRIQUE

Oh, mais non, mais non, Clé, je t'assure que non!

CLÉMENTINE (*soupçonneuse*)

Tu ne connais pas Féral?

BRIQUE (*définitif*)

Absolument pas.

CLÉMENTINE

Mais tu connais Chabannes?

BRIQUE

C'est-à-dire que... (*Il hésite.*) Évidemment, on a été camarades de régiment... mais enfin... ça n'a pas été plus loin, tu sais...

CLÉMENTINE

Bref, tu lui as téléphoné avant-hier et tu lui as demandé de me faire passer aujourd'hui.

BRIQUE

C'est absolument faux. Je te jure que non.

CLÉMENTINE

Tu mens, tonton. C'est très mal.

BRIQUE

Je ne mens pas. (*Il avoue.*) J'ai téléphoné à Angelvin.

CLÉMENTINE

Ah, tu vois bien. (*Elle l'embrasse.*) Oh tonton, tu es un ange!

BRIQUE

Eh là! Pas encore!

CLÉMENTINE

Tu es un saint!

BRIQUE

Laisse-moi le temps, jeune impatiente!

CLÉMENTINE

Et tu savais que tu me trouverais ici! Oh! Ce que je suis contente! Je n'ai plus du tout le trac.

BRIQUE

Ben moi, je l'ai drôlement.

CLÉMENTINE

Comment ça?

BRIQUE

Mais je passe aussi devant le machin, là...

CLÉMENTINE

Pourquoi, tonton?

BRIQUE

Eh bien... j'ai fait un peu d'archéologie pendant que j'étais là-bas... et j'ai trouvé des choses intéressantes... j'ai découvert que les Carthaginois connaissaient le cinéma... ça a fait sensation, alors Chabannes m'a écrit et m'a dit de m'arranger avec Angelvin pour passer quand je reviendrais... Alors, pour ne pas avoir trop le trac, je leur ai demandé de te faire venir le même jour... tu vois, c'est toi qui me rends service...

CLÉMENTINE

Tonton, tu es une canaille. (*Elle l'embrasse.*)

BRIQUE

Il faut te décider, écoute... En tout cas j'aime autant être une canaille qu'un saint, c'est moins prétentieux... (*Un silecne.*) Et dis-moi... comment vont ma sœur et ton cousin?

CLÉMENTINE

Angéline? Je ne sais pas. Carlos, il a changé de genre. Il ne chante plus que des chansons tristes. Il s'est fait faire des paroles par Maurice Chevalier sur la *Valse de l'Adieu* de Chopin.

BRIQUE

A cause du chauffeur?... Et ça marche?

CLÉMENTINE

Il reçoit maintenant mille lettres par jour au lieu de cinq cents...

BRIQUE

Bon bon... (*Un silence — il la regarde.*) Et toi? Ce petit cœur?

CLÉMENTINE

Je n'ai plus de cœur.

BRIQUE

Eh bien! Il battait pourtant bien fort quand je suis entré. (*Il regarde sa montre et entraîne fébrilement Clémentine.*) Tiens... viens faire un tour avec moi. Je vais te faire visiter le studio et te présenter à Chabannes et Féral. Ils sont sûrement arrivés. (*Ils sortent — la scène reste vide une seconde, puis apparaît le deuxième machiniste qui guide quelqu'un.*)

SCÈNE VII

DEUXIÈME MACHINISTE (*excédé*)

Là! Ça y est! Vous voyez, maintenant? Faut encore vous faire un dessin, peut-être, non?

JACQUES

Alors, pour nous résumer, c'est ici Télé-Paris, en somme.

DEUXIÈME MACHINISTE

Oh! vous. (*Il lève les poings au ciel.*)

ANDRÉ

Tenez, tenez... tenez... (*Il lui donne des billets.*) Et encore celui-là... merci... merci. (*Il le pousse dehors.*)

SCÈNE VIII

JACQUES

Et nous voilà à Télé-Paris. (*Il paraît nerveux.*)

ANDRÉ

Oh, ne t'agite pas comme ça... après tout, ce n'est pas si différent de ta classe...

JACQUES

Ah, tu comprends, dans ma classe, je les vois... si je rate un effet, je ne peux pas me rattraper... les auditeurs me verront, mais pas moi...

ANDRÉ

Et alors? Féral te rattrapera, si tu te trompes.

JACQUES

Ah, c'est vexant...

ANDRÉ

Ne perdons pas notre temps. Répétons.

JACQUES

Vas-y, interroge-moi. Fais Féral.

ANDRÉ

Oh, c'est sûrement Chabannes qui va t'interroger. Féral s'occupe plutôt des marrants.

JACQUES (*pincé*)

Ben merci. Alors, je ne suis pas marrant.

ANDRÉ

Oh! Tu m'épuises!...

JACQUES

Bon, bon!... alors fais Chabannes, fais Chabannes.

ANDRÉ

Ah, là là. (*Il change de voix.*) Maintenant, pour changer de genre, nous allons parler littérature avec notre excellent ami Jacques Martin. (*Il change de nouveau pour une troisième voix.*) Plus connu heu... dans les milieux de Fresnes sous le nom de Tom Collins.

JACQUES

Qu'est-ce qu'il y a? Tu es enroué?

ANDRÉ (*voix naturelle*)

Ben, je faisais Féral... tu sais, ils bavardent tous les deux pour que ça soit vivant.

JACQUES

Quel comédien!... (*Il hausse les épaules et prend l'air puant.*)

ANDRÉ

Enchaînons, enchaînons... sous le nom de Tom Collins, ha ha... *Une Salope de moins*, vous vous souvenez (*voix naturelle*) je ne sais s'il le dira, mais il faut tout prévoir...

JACQUES

Oui, oui, vas-y... C'est moi qui passe, tu suis...

ANDRÉ (*voix de Chabannes*)

Jacques Martin est venu nous parler de son dernier roman, *le Coupable Puni.* Mon cher Martin, je crois que dans votre nouveau roman, vous avez complètement modifié votre style (*voix Féral*) qui était plutôt... imagé!...

JACQUES
(*voix extraordinairement peu naturelle et prétentieuse*)

Euh... oui... c'est exact. (*Il reste sec, sourit béatement.*) Hm... Hm...

ANDRÉ (*voix naturelle*)

Ben, mon vieux, ne reste pas sec comme ça, quoi... ton laïus.

JACQUES

Je l'ai oublié...

ANDRÉ

Mais non, voyons... : « en écrivant *Le Coupable Puni*, j'ai voulu... » etc., allez, je reprends (*voix Féral*) qui était plutôt... imagé.

JACQUES (*même voix peu naturelle*)

Eh bien, mes chers auditeurs, en écrivant *Le Coupable Puni*, j'ai voulu renouer, je l'avoue, avec la grande tradition voltairienne des contes philosophiques. Il m'est apparu en effet que l'abus condamnable que l'on fait de nos jours d'un style dont les milieux décrits ne nécessitent en aucun lieu l'emploi par le romancier qui se doit de rester objectif et extérieur à un sujet qu'il domine sans cesse, ne saurait se justifier en consé...

ANDRÉ (*voix de Féral*)

Les critiques ont salué dès l'apparition du livre de M. Jacques Collins le retour d'un jeune romancier à la langue de Voltaire. (*Silence.*)

JACQUES

Ah, zut, tu m'as coupé... je ne sais plus où j'en suis.

ANDRÉ

Mais mon vieux, Féral t'aurait interrompu depuis longtemps! Ce texte est extrêmement triste! Sinistre, même!...

JACQUES

Mais c'est toi qui l'as écrit!

ANDRÉ

J'ai jamais dit le contraire... mais moi je ne suis pas écrivain, je suis chauffeur... et je n'ai jamais écrit que le courrier du cœur.

JACQUES

Écoute... il faut que j'en sorte... André, le temps passe!

ANDRÉ

Enchaînons, enchaînons... je reprends. (*Voix de Féral.*) Le retour d'un jeune romancier à la langue de Voltaire.

JACQUES

C'est pourquoi, désireux de rendre à la littérature policière ses lettres de noblesse et sûr en cela de répondre... (*Il bondit et se cache derrière André.*) Oh là là! Reste là! Reste là, toi!...

SCÈNE IX

Paraît la Marquise, suivie de Néron, en chauffeur.

ANGÉLINE

Bon Dieu! Qu'est-ce que c'est que ces deux pierrots... mais c'est cézigue! Et André! Comment vas-tu, papa? Sors de là, toi, Alexandre de Marillac... alors... tu remets ça, t'es pas douché! Je m'en doutais un peu... mais t'as changé ton nom de baptême, hein, ma fleur. (*Elle tire une lettre de sa poche.*) Tu t'appelles Roger Le Fèvre de Fleurville, maintenant... hein? C'est encore toi, hein (*elle tourne et l'attrape par le col*) hein, fumier...

JACQUES

Mais laissez-moi... laissez-moi, on n'a plus rien à voir ensemble, qu'est-ce que c'est que cette histoire... Vous allez me salir mon col... (*Il se dégage.*) Bon Dieu, quelle harpie!...

ANGÉLINE

Ben moi, je voudrais bien savoir si c'est toi le Solitaire du Désert, hein, parce que ça va cuire. Une fois, c'est bien, mais tu sais, mon mec, deux, ça cherre...

ANDRÉ

Allons, quoi, qu'est-ce qu'il y a encore?

ANGÉLINE

Il y a que j'ai rendez-vous ici avec un gars qui s'appelle soi-disant Le Fèvre de Fleurville et qui m'a écrit des lettres un peu au poivre et qui m'a encore l'air d'être cette espèce de fausse couche...

JACQUES

Vous me prenez pour un abruti, hein? Vous ne vous imaginez pas que je lis encore le *Chasseur français*, tout de même? Ah, non, alors!...

ANDRÉ

Écoutez, Angéline, c'est sûrement un malentendu...

JACQUES

Vous pensez bien que même si je vous avais donné rendez-vous, je n'y aurais pas été.

ANGÉLINE

Ben alors, où il est, ce Solitaire du Désert, hein, tu veux me dire, fleur d'amour? Où est-il si c'est pas toi, hein?

JACQUES (*furieux*)

Ça, je m'en fous, c'est pas mes oignons; allez, volaille, caltez!...

ANGÉLINE

Ah, mais tu t'énerves, hein, on dirait... tu sais que je t'aime mieux comme ça, hein... tu te rappelles? Canaille!

ANDRÉ

Allons, Angéline... ne recommencez pas... c'est de l'histoire ancienne, vos propositions...

ANGÉLINE

Hé! Je m'en fous, de ce sinoque, mais je veux mon Solitaire du Désert, bon sang de sort! Lui, tu penses (*elle désigne Jacques*) y a longtemps que je l'ai oublié, cette charogne.

JACQUES

Oh! Angéline, ta gueule! (*Elle l'apprécie, ravie.*) Après tout, je suis trop bon.

ANGÉLINE

Bon avec un grand C.

JACQUES

Oui, je suis bien bon de vous écouter encore; après tout, c'est vous qui m'avez tout foutu en l'air et c'est grâce à vous que je suis brouillé avec la seule femme que j'aime... et ça, je ne l'encaisse pas... et je suis furieux... et je ne sais pas ce qui me retient. (*Elle recule.*)

ANGÉLINE

Ah, non, alors, zut, plus de marrons; mais bon Dieu qu'est-ce que c'est que ce gars-là, ou bien il est tout miel tout sucre ou bien il vous cogne sur la gueule; enfin c'est sidérant, ça! Enfin c'est vous le responsable de toute cette histoire avec ma nièce...

ANDRÉ

Allez, calme-toi...

JACQUES (*hausse les épaules*)

Excusez-moi. Au fond, tout ça, c'est vrai, c'est ma faute.

ANGÉLINE

Allez, on passe l'éponge, hein?

JACQUES

D'ac! (*Ils se serrent la main.*)

(*Musique.*)

1

ANDRÉ

Ah, quel spectacle idyllique
De vous voir enfin tous deux
Pleins de bonne volonté

JACQUES

Comme on se sent euphorique
Quand on voit que tout va mieux
Et qu'on est réconciliés

MARQUISE

J'ai beau être une bourrique
Quand je vois ce malheureux
Je n' peux pas rester fâchée

TRIO

Je n' peux pas rester fâché

2

ANDRÉ

Mais il manque à la rencontre
La petite au cœur meurtri
Qui a quitté sa maison

JACQUES

Cette absence me démontre
Que le mien n'est pas guéri
Malgré mes exhortations

MARQUISE

J'ai beau ne plus être contre

Je sais bien qu'elle est partie
Au mépris de la raison

TRIO

Au mépris de la raison

3

ANDRÉ

Allons, garde ton courage
Tu finiras bien un jour
Par oublier ce chagrin

MARQUISE

Si tu avais été sage
Tu aurais suivi l'amour
Qui te prenait par la main

JACQUES

Ah, je pense à son visage
Et j'enrage de ce tour
Que m'a joué le destin

TRIO

Que m'a joué le destin...

ANDRÉ

Mais c'est pas tout, ça... faudrait tout de même répéter...

JACQUES

Oh, non... ça m'a rendu tout chose... de repenser à ma Clémentine.

ANGÉLINE

Ah, un peu de choses au truc, hein... qu'est-ce que tu dirais si tu avais un Solitaire du Désert qui te pose un lapin, hein? (*Apparaît le petit Ricardo Benzine, hurlant.*)

SCÈNE X

RICARDO

Maman! Maman! Je veux maman! Mon biberon! C'est l'heure! Maman! (*Il trépigne.*)

ANDRÉ

Ah, qu'est-ce que c'est que ça, encore?

JACQUES

Fais le taire, pour l'amour de Dieu.

ANGÉLINE

Bon sang, j'espère que c'est pas ce zèbre-là qui m'a donné rendez-vous!...

RICARDO

Maman! Mon biberon! Mes bonbons! Pipi au pot! Maman!

ANDRÉ

Qu'est-ce que tu veux? Ça ne va pas? A gueu! A gueu! Guili, qu'il est joli!

RICARDO

Ta gueule! Maman! Maman!...

ANGÉLINE

Dis donc, quart de bock, laisse-nous un peu entre quatre zyeux, hein, tu nous cours sur le citron!

RICARDO

Assez, bon Dieu! D'abord, vous fermez-la.

(*Ensemble.*)

ANDRÉ

Ah! Ça va.

NÉRON

Quand même.

JACQUES

Vous exagérez.

RICARDO (*stentorien*)

Assez, je vous dis! (*Ils se taisent, matés.*) D'abord, vous n'avez aucun ensemble. (*Ils le coupent.*)

(*Ensemble.*)

ANDRÉ

Non mais quoi...

ANGÉLINE

Tu me la copieras...

JACQUES

Qu'est-ce que...

NÉRON

Ben mince...

RICARDO (*les coupe*)

Silence! (*Silence.*) Accordez-vous! (*Il chante le la.*) La! La! La! La! La! La! La! (*Ils s'accordent en quatuor – il chantera une voix et eux feront un fond harmonieux à quatre voix très mozartien.*)

RICARDO

Malgré mon allure exiguë-u-u-ë
Je suis un grand musicien

QUATUOR

Ah-Ah-Ah-Ah-Ah-Ah-Ah-Ah-Ah

RICARDO

Les journaux me portent aux nu-u-u-es
C'est le seul truc qu'ils font de bien

QUATUOR

Ah-Ah-Ah-Ah-Ah-Ah-Ah-Ah-Ah

(*Une petite fugue s'organise.*)

RICARDO

Les grands maîtres de la baguette
N'ont pas le quart de mon talent
Ils me dominent de la tête
Mais leur génie
Mais leur génie
Devant le mien, devant le mien
Reste encor très insuffisant

QUATUOR

Reste encor très insuffisant

RICARDO

J'ai depuis l'âge le plus tendre
Conduit Mozart et Beethoven

QUATUOR

Ah-Ah-Ah-Ah-Ah-Ah-Ah-Ah-Ah

RICARDO

Et maintenant je puis prétendre
Que sans mon aide ils resteraient
Des musiciens que l'on connaît
Mais qui n'ont pas de renommée...

QUATUOR

Mai qui n'ont pas
Mais qui n'ont pas
Mais qui n'ont pas de renommée.

NÉRON

Eh ben, c'est très artistique...

RICARDO

Maman! Maman! Pipi!...

ANDRÉ

Allez, vieux, suis-moi... on va la chercher. (*Ricardo se débat et crie tellement que successivement la marquise et Néron doivent s'y mettre pour l'embarquer. Ils l'emportent.*)

SCÈNE XI

JACQUES, *seul.*

Ah! Enfin! Pourquoi est-ce qu'on laisse circuler des... des machins comme ça! Quelle pétaudière!... (*Il reprend son papier et recommence à répéter à mi-voix — paraît Clémentine qui cherche visiblement quelque chose, son sac, oublié à la scène avec Brique. Elle heurte un meuble quelconque.*)

JACQUES (*furieux*)

Oh! quoi encore! (*Il lève les yeux.*) Quoi? Clémentine...

CLÉMENTINE

Oh! Jacques! (*Elle a le geste d'aller à lui mais se détourne et file, mais pas trop vite, il a le temps de la rattraper.*)

JACQUES

Venez ici. Qu'est-ce que vous faites là?

CLÉMENTINE

Rien.

JACQUES

Alors, vous n'avez aucune raison d'y être?

CLÉMENTINE

Non; c'est pour ça que je m'en allais.

JACQUES (*ébahi*)

Ben ça! Pour de la mauvaise foi, c'est de la mauvaise foi!...

CLÉMENTINE

Laissez-moi m'en aller.

JACQUES

Non.

CLÉMENTINE

Je veux m'en aller.

JACQUES

Alors, il faut donner un gage.

CLÉMENTINE

Laissez-moi.

JACQUES

Un gage.

CLÉMENTINE

Quel gage, d'abord?

JACQUES

Devinez.

CLÉMENTINE

Avec un satyre comme vous, ce n'est pas difficile.

JACQUES (*faussement choqué*)

Oh! Ce que vous avez l'esprit mal tourné! Je ne pensais pas à ça du tout!

CLÉMENTINE

Comment? Mais à quoi pensez-vous que je pensais?

JACQUES

Oh! Clémentine! Vous le savez bien! Et vous n'avez pas honte!

CLÉMENTINE

Oh! (*Elle le gifle vigoureusement.*) Vous pensiez, que je pensais à ça! Oh! (*Elle le gifle.*)

JACQUES

Aï! aïe! Pas si fort! Et à quoi pensiez-vous donc?

CLÉMENTINE

Mais moi, je pensais tout simplement que vous alliez me demander un baiser.

JACQUES

Mais naturellement, et vous pensiez que ça ne serait que le commencement, et vous avez pensé à la suite... (*Elle le regifle.*) Seigneur! Que vous avez la main dure!

CLÉMENTINE (*satisfaite*)

Ah! ça m'a soulagée.

JACQUES

Eh ben, ne vous gênez pas, je vous en prie... (*Il se masse.*)

CLÉMENTINE

Oh! Mon pauvre ami! Je ne voulais même pas vous faire de mal!

JACQUES

En tout cas, vous me devez une réparation.

CLÉMENTINE

Je vous fais toutes mes excuses.

JACQUES

Et vous croyez que ça me suffira?

CLÉMENTINE

Il faudra bien vous en contenter!...

JACQUES

Ah oui? Eh bien je ne m'en contente pas... (*Il l'attire, l'embrasse longuement — apparaît André —· Il voit, sifflote. Rien Re-sifflote. Il dit très haut:*)

SCÈNE XII

ANDRÉ

Excusez-moi! Je ne voulais pas vous déranger...

JACQUES (*à Clémentine qui veut se dégager*)

C'est André. (*A André.*) Tu ne nous déranges pas...

ANDRÉ

Bonne répétition... (*Il disparaît.*)

SCÈNE XIII

CLÉMENTINE

Jacques! Lâchez-moi! On pourrait venir!

JACQUES

Naturellement. On est même déjà venu, mais André, ça ne fait rien, il est au courant.

CLÉMENTINE (*agressive et coquette*)

Au courant de quoi, d'abord?

JACQUES

Il sait que je vous aime, Clémentine.

CLÉMENTINE (*agressive*)

En somme, vous le dites à tout le monde! Et peut-être même que vous l'écrivez... C'est ça le sujet de votre dernière cochonnerie? *Le Coupable Puni?* Et c'est vous le coupable, sans doute?

JACQUES

Oui, Clémentine, mais j'ai été assez puni comme ça...

CLÉMENTINE

Alors c'est parfait... laissez-moi partir.

JACQUES

Clémentine!

CLÉMENTINE (*odieuse*)

Laissez-moi partir! Vous avez été coupable, et, j'espère

que vous serez encore plus puni... et je viens de vous embrasser exprès, là... parce que comme ça vous me regretterez encore plus quand vous serez tout seul...

JACQUES

Oh! Quelle petite peste! Oh! Tiens! (*Il la gifle.*) Oh! Ma petite Clé... Pardon... pardonnez-moi...

CLÉMENTINE (*stupeur*)

Jacques. (*Elle fond en larmes.*) Mon chéri... vous m'avez battue!... Oh!... Je ne vous verrai plus jamais (*Elle se serre contre lui.*) Et je ne vous adresserai plus jamais la parole!... et je... (*Il l'embrasse encore plus tendrement que la première fois puis la lâche.*)

(*Musique.*)

JACQUES

Puisqu'on va faire une bêtise
Puisqu'on va se marier
On a bien fait de commencer
Par se dire des sottises
Car il vaut mieux qu'on se les dise
Quand on est fiancés
Comm' ça on est débarrassés
De ce qui vous divise

CLÉMENTINE

Les fiançailles assurément
Ne craignent pas les coups
Lorsqu'on s'aime vraiment beaucoup
On se bat fréquemment
Ceux que l'on donne à son amant
Ne comptent pas du tout
Ceux que l'on donne à son époux
Sont bien moins amusants

JACQUES

Quand nous serons réunis

CLÉMENTINE

Nous serons bien plus sages

Sans quoi c'en serait fini
De la paix du ménage

DUO

Et si l'on doit se marier
Il faut que rien ne reste
De tous les faits, de tous les gestes
Que l'on s'est reprochés
Car si l'on peut se séparer
Entre célibataires
Il faut s'apprendre à s'accorder
Pour vivre unis sur terre
Il faut s'apprendre à s'accorder
Pour vivre unis sur terre

CLÉMENTINE (*main levée*)

Alors, on liquide?

JACQUES

On liquide. (*Ils se giflent mutuellement puis retombent dans les bras l'un de l'autre.*) Mon amour...

CLÉMENTINE

Mon chéri. (*Long baiser. Apparaît Joseph, le cheval qui parle, composé naturellement de deux individus dans une peau. Il tousse — Jacques croyant que c'est André, ne bouge pas. Joseph, choqué, retousse.*)

SCÈNE XIV

JACQUES, CLÉMENTINE, JOSEPH.

JOSEPH

Hum!...

JACQUES

Oh, fous-nous la paix, André. (*Il ne lève pas la tête.*)

JOSPEH

Pardon, est-ce qu'on pourrait répéter! (*Sa voix extraordinaire fait sursauter Jacques et Clémentine qui se séparent.*)

CLÉMENTINE

Qu'est-ce que c'est? Oh! Jacques! J'ai horriblement peur des chevaux...

JOSEPH (*vexé*)

Je ne suis pas dangereux. Je suis agrégé de philosophie... Je cherchais un endroit pour répéter.

JACQUES

Excusez-moi... euh... monsieur... mon cheval...

JOSEPH

Appelle-moi Joseph, mon cher Martin, nous sortons de la même école... Je passe aussi à Télé-Paris... pour une thèse sur les rapports du moi et du non-moi chez les équins.

CLÉMENTINE (*bas*)

Oh! Jacques... il me terrorise.

JOSEPH

Enfin, mademoiselle, je suis étonné... je suis un simple cheval qui parle, un mutant, quoi; écoutez... vous n'avez pas peur de Fernandel quand vous le voyez au cinéma, n'est-ce pas? Alors je ne vois pas pourquoi vous auriez peur de moi... il a une tête de cheval, je peux bien avoir une voix d'homme, non? Demandez à Jean Rostand... il vous dira ce que c'est qu'une mutation. C'est tout à fait ce qu'il y a de plus courant...

JACQUES

Écoutez... écoute, Joseph, elle n'est pas habituée, tu comprends?

JOSEPH

Toi non plus, tu n'es pas habitué, mais tu es poli, au moins.

JACQUES

Je suis romancier, tu comprends, aussi mon imagination me permet de me représenter, de concevoir tous les développements de...

CLÉMENTINE (*proteste*)

Comment! Votre imagination! Vous avez de l'imagination, maintenant? C'est la première nouvelle! (*A Joseph.*) Ne l'écoutez pas, monsieur le cheval, c'est un menteur.

JOSEPH

Je ne veux pas me mêler de ça... c'est pas l'affaire d'un herbivore... Excusez-moi je vais chercher un autre endroit... (*Il se retire.*)

CLÉMENTINE

C'est ça! Vous vous tirez des pieds parce que ça devient dangereux!

JOSEPH (*se retourne*)

Des sabots, s'il vous plaît! Je me tire des sabots. (*Il hennit de joie.*) Salut! (*Il s'éloigne.*)

CLÉMENTINE

Oh! La vieille rosse!

SCÈNE XV

JACQUES, CLÉMENTINE.

JACQUES

Écoutez, Clémentine... si nous cessions tout de même de nous disputer?

CLÉMENTINE

Jacques, je vous demande pardon, je n'en ai pas envie non plus, mais c'est malgré moi, c'est quand je vous entends parler de votre imagination.

JACQUES

Mais, ma Clémentine, j'en ai toujours eu comme tout le monde! Ce que je n'ai jamais réussi à faire, c'est composer une intrigue sur le papier, une trame policière, des enchaînements de situations, des rebondissements... Je reste sec...

alors ça, je suis obligé de le faire pour de vrai; mais si j'essaie de m'imaginer ce que ça sera quand nous vivrons ensemble... ce que ça sera de vous aimer, de... heu... de ci et de ça... eh ben, ça c'est facile, ça va tout seul, et je n'ai pas besoin d'expériences pour me le représenter, en technicolor et en relief...

CLÉMENTINE

C'est bien vrai, ça?

JACQUES

Clé! Bien sûr que c'est vrai.

CLÉMENTINE

Alors, on n'est plus fâchés?

JACQUES

On n'a jamais été fâchés. (*Il s'apprête à la reprendre dans ses bras mais on entend un grand bruit et des cris et apparaît brusquement André suivi de Carlos.*)

SCÈNE XVI

JACQUES, CLÉMENTINE, ANDRÉ, CARLOS.

ANDRÉ (*glapissant*)

Carlos! Foutez-moi la paix, j'en ai marre!

CARLOS

André, je ne vous crois pas! Pas un mot! Il est venu pour vous! (*Il aperçoit Clémentine dans les bras de Jacques. Surpris.*) Oh! (*Menaçant.*) Ah!

CLÉMENTINE

Mais c'est toi, Carlos? Oh, pourquoi est-ce qu'on est tout le temps dérangés. Qu'est-ce que tu fais là?

CARLOS (*à Jacques*)

Vous pouvez la lâcher, monsieur Collins, ce n'est plus la peine de simuler, mon siège est fait.

JACQUES

Vous feriez bien de lui faire prendre un bon bain froid... Oui, un bain de siège!

ANDRÉ (*douloureusement*)

Oh! Que c'est mauvais, que c'est donc mauvais!

CARLOS

Je suis inaccessible à l'ironie, monsieur. Voulez-vous cesser de feindre un amour inventé et m'expliquer pourquoi vous avez entraîné mon chauffeur loin de son devoir?

ANDRÉ

Dites plutôt de son pensum! Cinq cents lettres par jour, ça dépasse le cadre du devoir!

JACQUES

Monsieur, je ne suis pour rien, ou presque, dans la décision prise par mon camarade André Lardon. J'ajoute qu'il a été flanqué à la porte par votre tante, la marquise de Piripin, et que ceci ne me regarde en aucune façon.

CARLOS

Quoi? D'abord, ma tante et moi, c'est la même chose... ensuite, je me ronge les sangs, je ne vis plus, mon répertoire en souffre, mon horizon s'assombrit et vous rejetez allégrement le fardeau écrasant de votre responsabilité! C'est trop commode!

CLÉMENTINE

Carlos, ne dis pas de blagues... tu reçois deux fois plus de lettres depuis que tu es un chanteur triste...

ANDRÉ

Deux fois plus de lettres? Ça fait mille? Eh ben, ne comptez plus sur moi pour remettre ça!

CARLOS (*à genoux*)

André! Le public français a besoin de vous! Soyez grand!

ANDRÉ

Je ne suis pas de force. Et encore, s'il ne s'agissait que

de répondre au courrier... mais vous allez encore me bassiner toute la journée... Et puis, il y a quelque chose que je ne vous pardonnerai jamais.

CARLOS

Mais quoi, André, quoi donc?

ANDRÉ

Vous avez dit que j'avais les pieds sales.

CARLOS

Mais c'était un compliment, André... les pieds sales? Mais c'était la poésie même!...

ANDRÉ

Ben moi, ça m'a vexé.

CARLOS

Vexé? Vous, André? Un homme fort comme vous? André? Revenez travailler. C'est un service que je vous demande... d'homme à homme...

ANDRÉ

Où est l'autre?

CARLOS

L'autre quoi?

ANDRÉ

L'autre homme, quoi, le second...

CARLOS

Oh! Vous n'êtes pas gentil.

ANDRÉ

Ben, on est quittes, pour les pieds sales...

CARLOS

André, je ne tiens plus à vous importuner... d'autant que... j'hésite à vous le dire... mais je suis sûr que vous comprendrez; voilà : j'ai fait la connaissance d'un petit télégraphiste... absolument délicieux... assez négligé, mais tellement simple... c'est Carné qui l'a découvert dans son dernier film... c'est un garçon exquis... mais voilà... (*Il s'arrête.*)

ANDRÉ

Eh ben, tout est pour le mieux?

CARLOS

André... c'est affreux! il est finlandais et ne parle pas un mot de français... il ne peut pas répondre au courrier... Je suis submergé!...

ANDRÉ

Prenez un secrétaire!

CARLOS

C'est ce que je vous propose.

ANDRÉ
(*regarde Clémentine et Jacques perdus dans une contemplation réciproque et hausse les épaules*)

En fait... j'ai idée qu'il va falloir que je cherche un autre logement d'ici peu... bah... tant pis. Combien?...

CARLOS

Eh bien... mais la même chose qu'avant!

ANDRÉ

Ah! Non, alors! Si vous recevez deux fois plus de lettres, je ne marche pas!... Quel pingre!...

CARLOS

Oh, mais mon courrier va diminuer... j'abandonne le répertoire triste... je suis tellement heureux...

(*Il veut embrasser André qui se dégage.*)

ANDRÉ

Veux pas le savoir!

CARLOS

Bon! Je vous donne le double. Après tout, je vous ai aimé... vos chers pieds!...

ANDRÉ

Et plus d'histoire de pieds, hein, ou vous le prenez quelque part!

CARLOS

Bon... bon...

ANDRÉ (*désigne Clémentine et Jacques*)

Alors? Vous êtes toujours persuadé que c'est moi qu'il venait voir chez la marquise?

CARLOS

Oh, ils sont indécents! Mais Clémentine ressemble tellement peu à un garçon que ça m'est complètement égal. Je crois même que je lui ferai une dot. (*A Clémentine.*) Hé! Cousine! Réveille-toi! (*Elle lâche Jacques.*)

CLÉMENTINE

Oh! Carlos! (*Elle va l'embrasser, il est assez dégoûté.*) Mais dis donc, au fait, comment es-tu là? (*Elle réfléchit.*) Je commence à croire que mon oncle est un véritable Machiavel!...

CARLOS

Mais moi, j'ai été convoqué par Chabannes, hier, à l'improviste... il m'a dit que c'était très urgent!...

CLÉMENTINE

Oh! ça, je sais bien d'où ça vient.

ANDRÉ

Du reste, ça n'a aucune importance...

(*Musique.*)

CLÉMENTINE

Oui peu importe

JACQUES

Oui peu importe
Car l'essentiel c'est que tout soit arrangé

CARLOS

Oui peu importe

ANDRÉ

Oui peu importe
Nous somm's amis comme avant, rien d' changé

CLÉMENTINE

Car de la sorte

JACQUES

Oui de la sorte
On a lavé son linge sale en famille

CARLOS

Et de la sorte

ANDRÉ

Oui de la sorte
Devant nous pour toujours le soleil brille

CARLOS

Quand un chanteur de charme
N'a rien pour le charmer
Il dépose les armes
Et ne peut rien chanter

ANDRÉ

Quand un chauffeur sans gîte
N'a rien pour se chauffer
Sa mauvaise conduite
Ne peut s'améliorer

JACQUES

Quand l'écrivain sans muse
N'a plus d'inspiration
Il s'esquinte et il s'use
A feindre les passions

TOUS

Mais peu importe
Oui peu importe
On a lavé not' linge sale en famille
Et de la sorte
Oui de la sorte
Devant nous pour toujours le soleil brille
Devant nous pour toujours le soleil brille

(*Apparaît Joseph.*)

SCÈNE XVII

CARLOS

Jésus Marie Joseph! Qu'est-ce que c'est que ça! Oh! Qu'il est chou!

JOSEPH (*rogue*)

Ce n'est que moi. (*A Jacques:*) Dis donc, tu n'as pas vu Angelvin? Je ne peux pas trouver un coin pour penser tranquillement.

CARLOS (*fin*)

Oh, je savais qu'on pansait les chevaux, mais je ne savais pas que les chevaux pensaient. (*Silence de mort, tous le regardent avec une écrasante pitié.*) Ah, ne me regardez pas comme ça, vous autres! C'était pas si mal!

JACQUES

Angelvin n'est pas là.

JOSEPH (*il passe et va s'asseoir maussade*)

Ah, quelle crinière!

ANDRÉ (*à Clé, interrogratrice*)

Il veut dire : quelle barbe.

(*Apparaît la marquise, suivie de Brique.*)

SCÈNE XVIII

ANGÉLINE

Ça y est, je l'ai trouvé, mon Solitaire du Désert, c'est cette espèce de vieux branque de Brique.

CLÉMENTINE (*va de son oncle à sa tante*)

Oh, tonton, tonton, ce que je suis contente! (*A la marquise.*) Viens, ma tante, que je te présente mon fiancé!

ANGÉLINE

Ton fiancé! Tiens! Je le conobles déjà, ton zèbre; méfie-toi, c'est un cérébral...

CLÉMENTINE (*voluptueuse*)

Pas tout le temps, ma tante, tu sais... (*A sa tante, désigne André.*) Et je te présente le nouveau secrétaire de Carlos...

ANGÉLINE

Ah, celui-là, c'est un oiseau rare... Tu te laveras les pieds, hein, avant de revenir...

ANDRÉ (*furieux*)

Oh!

CLÉMENTINE (*à Brique*)

Tonton, c'est toi qui as tout arrangé! Tu es un vrai Machiavel! C'est toi qui va nous marier, dis?
(*Apparaît le petit prodige Ricardo suivi de sa mère.*)

SCÈNE XIX

JACQUES, CLÉMENTINE, ANDRÉ, CARLOS, ANGÉLINE, BRIQUE, JOSEPH, RICARDO, MADAME BENZINE.

RICARDO (*voit Joseph*)

Maman! Un cheval! Je veux jouer au cheval! Je veux jouer au cheval! A dada! (*Il court à Joseph qui se lève...*)

ANGÉLINE

Mais c'est vrai, je l'avais pas vu, c'est ça qui enquillait comme ça... un canasson, ça c'est champion alors!...

JOSEPH

Vous le petit prodige, soyez poli et laissez-moi tranquille. Je pense. (*Il s'absorbe.*)

ANGÉLINE

Et i cause! Ah, qu'est-ce qu'on invente pas!

JOSEPH

Silence! J'ai trouvé! (*Il lâche sa phrase.*) La philosophie est la plus noble conquête du cheval!

ANGÉLINE

Ah, ça, il est fortiche, le ruminant!

RICARDO

Maman! Maman! Je veux le prendre dans ma chorale! Je veux le dada! Ouin, ouin!

JOSEPH (*très froid*)

Ah, là là, ce qu'on les élève mal, ces phénomènes! (*Tout le monde se met à renchérir.*)

CARLOS

C'est vrai, alors...

ANDRÉ

Quel petit casse-pieds...

MADAME BENZINE

Allons, chéri, Allons! Angelo mio! Carino! Dolce; dolce! Allegretto ma non troppo!

ANGÉLINE

Qu'on le renvoie à sa nourrice, ce mec!

(*Arrive le premier machiniste.*)

SCÈNE XX

PREMIER MACHINISTE (*voix de rtentor*)

Silence ! (*On se tait*) Bon Dieu, mais c'est pas possible ! C'est une écurie, ici.

JOSEPH

Vous, hein, surveillez votre langage !

PREMIER MACHINISTE

Ah, excusez-moi, c'est sans le vouloir... je suis pas le mauvais cheval... (*Il hurle* :) Silence ! (*Silence de mort.*) Angelvin vous demande tous...

TOUS

Tous ?

PREMIER MACHINISTE

Tous!

TOUS

Ah! Il est arrivé?

PREMIER MACHINISTE

Il vous demande tous de faire moins de bruit.

TOUS

Oh!

BRIQUE

Dites-lui qu'il vienne!

ANGÉLINE

Et qu'il amène le champagne... Bon Dieu, c'est pas tous les jours qu'on se marre à la Radiodiffusion Française!...

(*Musique — chœur final.*)

TOUS (*ou par moitiés*)

Tout est arrangé
Tout est arrangé
Comme dans tous les livres d'images
Tous les cont' de fées
Tous les cont' de fées
Ça finit par un mariage

Le *Chasseur français*
Le *Chasseur français*
En est vraiment responsable

Ça prouve que c'est
Ça prouve que c'est
L'intermédiaire admirable

C'est fini
C'est fini
Rendons grâce à Télé-Paris
C'est fini
C'est fini
Rendons grâce à Télé-Paris!

FIN FINALE

RIDEAU

TABLE

BORIS VIAN

10 mars 1920. — Naissance à Ville-d'Avray de Boris Paul Vian. Il aura deux frères et une sœur. Son père est fabricant de bronzes.

1932. — Début de rhumatisme cardiaque. En 1935, typhoïde mal traitée.

1935-39. — Baccalauréat Latin-Grec, puis Math Elem. Prépare le concours d'entrée à l'Ecole Centrale. S'intéresse au jazz et organise des surprise-parties.

1939. — Entre à Centrale. En sort en juin 1942 avec un diplôme d'ingénieur.

1941. — Epouse Michelle Léglise. Commence « Les Cent Sonnets ».

1942. — Naissance d'un fils, Patrick.
Entre comme ingénieur à l'AFNOR.

1943. — Ecrit *Trouble dans les Andains* (publié en 1966).

1944-45. — Publie ses premiers textes sous les pseudonymes de Bison Ravi et Hugo Hachebuisson. Termine *Vercoquin et le Plancton* (publié en 1947).

Début 1946. — Quitte l'AFNOR pour travailler à l'Office du Papier. Termine le manuscrit de *L'Ecume des jours* (publié en 1947). Rencontre Simone de Beauvoir et Sartre.

Mai-Juin 1946. — Commence la Chronique du menteur aux *Temps modernes*. Ne reçoit pas le prix de la Pléiade.

Août 1946. — Rédige *J'irai cracher sur vos tombes* qui est publié en novembre sous le nom de Vernon Sullivan et qui devient le best-seller de l'année 1947.

Sept. à nov. 1947. — Ecrit *L'Automne à Pékin* (publié en 1947).

1947. — Ecrit *L'Equarrissage pour tous,* pièce dont l'action se passe non loin de Cerisy. Vernon Sullivan signe *Les Morts ont tous la même peau.*

1948. — Naissance d'une fille, Carole.
Adaptation théâtrale de *J'irai cracher. Barnum's Digest ; Et on tuera tous les affreux* (le 3e Sullivan).

1949. — *Cantilènes en gelée ; Les Fourmis.* Période de crise.

1950. — Représentation de *L'Equarrissage* (publié peu après avec *Le Dernier des Métiers.*

L'Herbe rouge (commencé en 1948) ; *Elles se rendent pas compte* (Sullivan). Mise au point du *Manuel de Saint-Germain-des-Prés* (publié en 1974).

1951. — Ecrit *Le Goûter des Généraux,* représenté en 1965.

1952. — Nommé Equarrisseur de 1re classe par le Collège de Pataphysique. Devient plus tard Satrape. Divorce avec Michelle. Période de traductions.

1953. — *Le Chevalier de neige,* opéra, présenté à Caen. *L'Arrache-Cœur* (terminé en 1951).

1954. — Mariage avec Ursula Kubler, qu'il avait rencontrée en 1949.

1954.59. — Période consacrée à des tours de chant, des productions de disques, etc.

1956. — *L'Automne à Pékin,* version remaniée.

1957. — Vian écrit *Les Bâtisseurs d'empire* (publié et joué en 1959).

1958. — Parution d'*En avant la zizique.* Fin de la revue de presse donnée depuis 1947 dans *Jazz-Hot.*

1959. — Démêlés avec les réalisateurs du film *J'irai cracher sur vos tombes.* Rôle dans des films.

23 juin 59. — Mort apparente du Transcendant Satrape.

Imprimé en Italie
par La Nuova Stampa di
Mondadori - *Cles (TN)*

N° d'édit. 431.
Dépôt légal: 4e trimestre 1971.